日本人だけが知らない
世界を動かす〝常識〟の真相

陰謀論時代の闇

The Darkness in the era of conspiracy theories

宇佐和通 著

笠間書院

まえがき

本書の目的は、あまた存在する陰謀論を可能な限り紹介することであり、そのひとつひとつに対して真贋の判断を下すことではない。

〝Conspiracy Theory〟=陰謀論という言葉は、そもそもＣＩＡが作ったものらしい。もっともＣＩＡに言わせれば、これも陰謀論のひとつということになるのだと思う。日本の主流派マスコミでも、陰謀論という言葉がごく普通のボキャブラリーになったと感じているのは筆者だけではないはずだ。

陰謀論という言葉にはネガティブなイメージがつきまとう。たとえば飲みの席で陰謀論〝めいた〟話を持ち出せば、ちょっと距離を置かれてしまうだろう。しかし、言葉の定着化が進んでいるために意外に食いついてきて、誰かが意図的に空けたスペースを意図的に埋めてくれる誰かがいるのも事実なのだ。

空いているスペースを自らの意思で進んで埋めるタイプである筆者は、世の中の奇妙な事象や怪しい企みすべてを陰謀論という言葉で片付けようとは思わない。しかしそれと同時に、「陰謀論なんてこの世に存在しない」なんていう言い方こそが陰謀論だと思っている。

本書は、49の陰謀論を集めたカタログだ。邪推とかパラノイアといった言葉のニュアンスだけで陰謀論を説明するのは無理だと思う。地政学や国際政治、世界経済といった要素が多く盛り込まれる陰謀論を知り、掘り下げていく過程は、漠然と見ているだけでは決してわからない世界の本当の動きを知ることにつながるはずだ。

体感的なイメージでは、陰謀論は事実と虚実のはざまではない。筆者なりの言葉で説明するなら、事実と事実のはざまにある奇妙なつながりということになるだろうか。しかし、奇妙なだけではない。一定以上のリアリティと説得力を宿しながら拡散していく。本文でも触れているが、今のネット社会では拡散のスピードも加速度的に上がっている。

陰謀論はだからこそ、〝どこかで聞いた話〟としてしか認識していない人から〝きちんとした裏付けができる真実〟を知っている人まで、それぞれのバックグラウンドを反映するグラデーションのようになっている。カタログである本書は、数えきれないほどあるグラデーションのちょうど中間に位置する性格となれるよう努力した。まずは読んでいただいて、その上でご自身の陰謀論度を確かめていただきたい。

もちろん、「陰謀論など全否定」という姿勢を貫いていただいても構わない。ただ、何十年という長いスパンで語られ続けている話があるという事実には、それなりの理由があるのだ。こうした特有のメカニズムにも目を向けていただきたい。視点をちょっと変えるだけで、これまで見えなかったものが見えてくる。

目次

【第三章】

戦争・事件・テロに隠された陰謀論……071

【第六章】

日常生活に潜む陰謀論

【第七章】

【第一章】

巷で囁かれる陰謀論

WHOの
ワクチン接種プログラム

昨今、ワクチンという言葉が常に検索ワードランキングの上位に挙げられている。かなり多くの人が特殊な反応を示す言葉であることには違いない。筆者も含め、子どもの頃から、ワクチン接種はごく当たり前で、何の疑いも持たない人がほとんどだったはずだ。この言葉が一種特別な響きを持つようになった理由は何なのだろうか。

1997年にアメリカで刊行された『Emerging Viruses: AIDS and Ebola : Nature, Accident, Or Intentional?』という本がある。実は刊行当時から目をつけていて、とある中堅出版社から翻訳書の出版が半ば決まりかけていた。ところが、試訳を読んでもらって本契約というところで、話が突然流れてしまった。それ自体を陰謀論と結び付けようとは思わないが、なぜそういう方向に話が進んだのかはいまだに謎だ。

訳すなら「新生ウイルス:エイズとエボラ=自然由来か偶然か、あるいは意図的なものなのか」というポリティカル・コレクトネスに真っ向から激突する響きの原題だ。20数年後の今なら訳して出すことができるだろうか? いや、今はもう現実のほうが数歩先を行っているし、継続するネットの進化のスピードに乗って、さらなる加速が実感できるだろう。そしてウイルス自体も、当時と比べれば確実に進化を遂げているはずだ。

陰謀論という枠組みの中では、ウイルスとワクチン接種が紐づけられて語られることが多い。まずは、ワクチン接種陰謀論の系譜をたどってみることにしよう。まず言っておきたいのは、陰謀論はワクチン接種システムが生まれた時から存在し続けているという事実だ。

いや、こう言おう。ワクチンに関する陰謀論は古くて、そして最新の話なのだ。2024年アメリカ大統領選に民主党を出て無所属候補として出馬を表明したR・ケネディ・ジュニア氏も、ワクチン陰謀論を最大の武器にしている。彼が陰謀論者であることはアメリカの主流派マスコミも認めるところであり、その言動がアメリカの公衆衛生に与える影響を危惧する声も聞こえている。

そもそものルーツをたどるなら、1955年にアメリカ全土で実施された大規模ワクチン接種プログラムということになるだろう。アメリカ西部に住む20万人の子どもたちの体に、活性化ウイルスが混入したポリオワクチンが打ち込まれた。このうち約4万人がポリオを発症し、200人が一生続く麻痺症状に苦しむことになり、10人が亡くなった。カリフォルニア州に本拠を置くカッター研究所で生成されたワクチンが使われたことから、カッター事件という名前でも知られている。どうやら、少なくともアメリカ国内のワクチン陰謀論者はこの事件を忘れられないようだ。約70年前に起きた事件であるにも関わらず、インパクトがあまりにも強かったのだろう。

コロナ禍が始まってから、ワクチン接種は危険であるという説がネット上のありとあらゆる場所で語られている。２０２３年に入ってからは、ワクチン接種によって体に不具合が起きたという話がきわめて多くなった。

ルーツとなる出来事が特定されている以上、こうした〝反ワクチン〟陰謀論は目新しいものではない。しかし、この陰謀論の構造はそう単純ではない。アメリカ三大ネットワークのアンカーたちも、〝陰謀論の黄金時代〟という言葉を好んで使っている。

いや、本当の黒幕はＷＨＯなのだ。そんな過激な意見もある。これまで起きた大規模ワクチン接種プログラムに乗せた陰謀は——ポリオも天然痘もコロナも——すべてＷＨＯが時代時代のニーズに合わせて展開した意図的な作戦だった。これまでも、大勢の人々を不妊にしたり、意図的に特定の病気にかからせたりしてきたが、コロナウイルスのパンデミックの真の目的は世界人口の削減にほかならない。主流派マスコミが普通のニュース番組で取り上げる話題だけ見ている大部分の人々にとっては、想像を絶する考え方に違いない。

しかも真の目的は多くの人々にワクチンを何回も打たせることであり、そのための口実としてコロナというウイルスを意図的に開発してばらまいたというのだ。

ならば、なぜ人口削減が必要なのか。それは、近い将来食料の絶対量が足りなくなることが目に見えているからだ。食糧が十分行き渡るレベルにまで人口を減らさなければ、地球人類全体が滅びてしまう。WHOのワクチン接種プログラムを通した陰謀は、ほんの一部に過ぎない。裏で進められているものごとは、たとえて言うなら全地球的なスケールなのだ。

抗わず、声も上げないままものごとを〝彼ら〟の思うままに進めさせるのか。陰謀論者たちはさまざまな方法で問いかけ続ける。ここまで情報があふれ、飽和状態になっている現代を生き延びて行くためには、自分にとって最も有益な情報を自分にとって最適な方法で取得していかなければならないはずだ。陰謀論をはじめとするさまざまなものに、完全に呑み込まれてアイデンティティを失ってしまう人も決して少なくないのだから。

21世紀の地球政治──アジェンダ21

内部告発者というのは、どこの国にもいるものだ。日本で言えば、文部省の元官僚前川喜平氏、あるいは報道番組のキャスターと生放送で言い合いになった元経産省官僚の古賀茂明氏が挙げられるだろう。ただ、内容が過激になってしまう場合もあるようだ。

マルコム・ロバーツというオーストラリアの上院議員がいる。コロナ禍やワクチン接種をはじめ、昔の出来事であれ今の時代の出来事であれさまざまなことがらについて過激な発言を繰り返し、問題は多いが人気がある政治家として、オーストラリアでは独自の立ち位置を占めている人物だ。そのロバーツ議員が、2016年9月にオーストラリア上院で行った演説中で次のように述べた。

「現在、多くの人々が国連の思惑に気づき始めています。国連が行っているのは、1975年のリマ宣言および、アジェンダ21という呼称で知られる〝21世紀の地球政治〟をうたった1992年のリオ宣言を通し、世界各国の国家主権を壊そうとする試みにほかなりません」

オーストラリアでも、当時のキーティング首相が主導してリオ宣言への署名が行われた。しかしその本質は、生物学的多様性というキーワードによって財産権、持続可能性を奪い、一般国民をコントロールし、天候変化を実現し、主権国家に対して不法な実力行使を強いる。

ロバーツ議員に言わせれば、リオ宣言の本質はそういうものだったというのだ。この時点でも、〝一般国民のコントロール〟あるいは〝天候変化〟といったいかにも陰謀論的な響きのワードがちりばめられている。ロバーツ議員の究極の目的は、オーストラリアの国連脱退だ。

アジェンダ21を国連陰謀論と紐づける考え方は根強い。もう一度、陰謀論的な定義をしておこう。アジェンダ21が目指すものは国連による国家主権および個人の財産権のはく奪にほかならない。陰謀論者から見れば、そもそも国連という組織は世界政府的な役割を模索していくのが基本的性格であり、NWO（ニューワールド・オーダー＝新世界秩序、P．062参照）あるいはOWO（ワンワールド・オーダー＝単一世界秩序、P．178参照）といった考え方に結び付けられる。1990年代にピークを迎えたアメリカのミリーシャ（民兵）・ムーブメントはNWOあるいはOWOに対抗するための動きだったという見立てもある。

かつてはどちらかといえば右翼的思想を抱く人々の間で支持率が高かったアジェン

ダ21陰謀論は、コロナ禍を境にして主流派マスコミにおいても以前より登場することが多くなり、以前ほどキワモノ扱いされることが少なくなっているようだ。

こうした潮の変わり目を微妙に感じ取った陰謀論者は一気に表舞台に躍り出て、以前よりもはるかに大きな音量で主張を行うようになっている。たとえば、アメリカの有名アクティビストで、一定以上の影響力を持つラジオパーソナリティー、グレン・ベックは次のように語っている。

「わずか30年ほど前、この地はアメリカと呼ばれていた。国連の主導で運営されるアジェンダ21というプログラムのせいで、今や単なる共和国と化してしまっている。大統領も議会も、最高裁判所も、そして自由もない」

アジェンダ21がこれほど敵視される理由は何か。国際協力を求めてはいるが、決して全体主義的な性格ではない。それでも追及の手を緩めない陰謀論者は後を絶たない。グレン・ベックは『Agenda 21:Into the Shadows』というタイトルの限りなくドキュメンタリーに近い小説まで出版し、アジェンダ21の〝非人間性〟を徹底的に攻撃している。

天候変換テクノロジーを想起される文言が盛り込まれているため、世界の美術館でテロ行為を繰り返す過激な環境保護団体や、世界で最も有名な女性環境活動家になったグレタ・トゥーンベリさんと陰謀論を紐づけるような流れも見られるようだ。

興味深いのは、日本では決してクローズアップされていないアジェンダ21について、アメリカやオーストラリアでは〝自分ごと〟として語るオピニオンリーダー的な人々が多い事実だ。そしてこうした傾向はイギリスでも顕著化しつつあるという。ちなみに、こうした国々はいずれもNWOやOWOについての討議が盛んなため、陰謀論が流布しやすい土壌があると言えるかもしれない。こうした背景的な事情を考え合わせると、アジェンダ21陰謀論は形を変えたNWO／OWO陰謀論ということになるだろうか。ならば、ここで触れたすべての陰謀論のルーツは、実在したネオコンと呼ばれる政治家グループに関する陰謀論にあるということになる。

都市伝説にも、陰謀論系と呼ばれるジャンルがある。ただしこうしたたぐいの話は、詰めが甘いところがあるし、主な声となっているのは名もなき語り手だ。これに対し、多くのインフルエンサーが顔を出して意見を発しながら進行しているアジェンダ21陰謀論は、信じられる話としての響きということになれば、かなり上を行っているのではないだろうか。

コロナ禍でバズワードとなったグレート・リセット

改革という言葉にはポジティブな響きが感じられ、ものごとがプラスの方向に転がっていくきっかけを思わせる。日本の政治家も多用するキャッチーで使い勝手のよい言葉なのだが、まったく同じニュアンスで〝リセット〟という言い方をする場合もある。

少し前、経済ニュースで〝グレート・リセット〟という言葉を見聞きすることが多くなった時期がある。

陰謀論者は、時として〝ビリーバー〟と呼ばれることがある。何を信じるのか。グレート・リセットに関して言えば、権力のある一部のエリートで構成される資本主義政治集団によって、社会主義的世界政府が構築される可能性を信じている。

2020年6月、チャールズ皇太子（当時）とダボス会議の議長が「世界経済の偉大な初期化＝グレート・リセット」と銘打った取り組みを発表した。世界経済のリセットのチャンスとしてパンデミックをとらえよう。そんな趣旨だ。そして選んだのが、世界経済のリセットとパンデミックという言葉の組み合わせ。そもそも声がけのこうした方向性が、陰謀論の芽を生む土壌を作ってしまったのかもしれない。

強いメッセージ性を込めたビデオが発表されると、世界は文字通りカオスに突き落とされた。山火事や異常気象などセンセーショナルなシーンが満載のビデオをバックに、チャールズ皇太子が語りかける。

「まったく新しい、サステイナブルな産業を創り上げていく素晴らしいチャンスが来ています。今こそ行動の時です」

グレート・リセットのもう一人の立役者は、WEF（世界経済フォーラム）の会長を務めるカール・シュワブ氏だ。世界経済フォーラムというのは、毎年スイスのスキーリゾートに世界中の富豪と経済界の重鎮を招いて行われる会議だ。シュワブ氏は、公式パンフレットに次のような文章をしたためた。

「パンデミックによって、新たなるチャンスがもたらされた。より健やかで公正な、そしてより豊かな未来を築き上げていくためにわれわれが生きている世界を考え、想像し直し、リセットするチャンスが与えられたのだ」

シュワブ氏は富裕税の導入と化石燃料の使用中止を訴えることから始めたが、グレート・リセットがカバーする範囲は広大だ。技術革新から気候変動、働き方の変化や国際安全保障までが盛り込まれなければならない。だから、どこかで論点がぼやけてしまった。国際的に影響力があるグループが新しいプランを立ち上げる。WEFも、同義語として使われるダボス会議も、陰謀論者にとっては特別の響きを持つワードにほかならない。ここまで挙げた要素をひとつにまとめれば、陰謀論が生まれないわけがなかったのかもしれない。

しかも、陰謀論者はWEFという言葉の響きに特に敏感だ。保守派の政治家や一部の主流派マスコミまで、WEFの環境保護的思想は行き過ぎだと認識しているという事実もある。しかも、シュワブ氏は誰かによって何らかの方法で選出され、ダボス会議を主催しているわけではない。ダボス会議には世界の政治と経済を動かす立場にある人々が一堂に会する。これほど影響力がある組織のトップがシュワブ氏のような人物であることに懸念を示す人は少なくないのだ。グレート・リセットという言葉が放つインパクトも何倍にも増幅されて響き渡ったことだろう。

反応した人の数は、桁外れだった。グレート・リセットという言葉が入ったシェアの数はFacebookで800万回以上、Twitterではほぼ200万回に達した。こうした状態はしばらく続き、2020年11月半ばにはFBで〝グレート・リセット〟というキーワードを盛り込んだポストが35000件に達する勢いを見せていた。

ポストの大半は大きな懸念について語るものだった。リセットによって世界の政治体制が変わってしまったら、個人的な財産はすべて没収される。就きたい仕事ができなくなる。世界規模での思想統制が実施される。そもそも宿していたはずのポジティブさはまったく消え、グレート・リセットという言葉は、少なくともネット上では、ディストピアと同義語で使われることが普通になった。

ネガティブなイメージはさまざまな方向に増殖し、パンデミックは最初からグレート・リセットの実現を目論んでいた一部のエリート集団によって意図的に生み出されたものであるという説も生まれ、終息の兆しがまったく見えない中で徐々にビリーバーが増えていくことになった。

世界各国が同時進行的に実施していたロックダウンも感染を防ぐための方策ではなく、現状の経済システムを意図的に崩壊させるためのものだという見方もある程度まで浸透した。この頃になると、ハードなビリーバーだけではなく、不自由な生活でストレスにさらされている人々にも、平常時では極端としか言いようがない考え方が静かに広がり始める。

グレート・リセット陰謀論は、まだ現在進行形だ。それどころか、新たなバリエーションが生まれる予感さえあることをお知らせして、この項目を終わりたい。

ディープステートvs.Qアノン

２０２０年10月の終わり、〝ミレニアルズ〟と呼ばれる20代のアメリカ人数人にインタビューする機会があった。この時、今の時代にはおよそ不似合いな響きの〝革命〟という単語をたびたび耳にした。筆者がインタビューを行った人たちは、間近に迫ったアメリカ大統領選挙で現職のトランプ大統領が負けてもホワイトハウスから出ていかない可能性を認識していたのだろう。

アメリカ合衆国の存在意義である民主主義の象徴にほかならない大統領選挙のプロセスを無視するトランプ大統領。ルールを無視する暴君を排除し、自由世界をリードする国家として恥ずかしくない姿を取り戻すためには、革命を起こすしかない。そんな思いがあったのだろう。

結局はバイデン氏が勝ったものの、トランプ支持派が議事堂襲撃という暴挙に出るのを見て、多くの人々が革命の可能性をリアルに感じることになったはずだ。こうした状況下で、トランプ支持派の中でも独特の存在感を示し続けてきたQアノンと呼ばれるグループが注目を集めることになった。

Qというハンドルネームの人物あるいはグループが4chanというアメリカのイメージボード型ＳＮＳに初めて現れたのは２０１７年だった。プロフィールには「アメリカ政府の機密情報にアクセスできる権限を有する」と記されていた。トランプ大統領を過剰なまでに英雄視し、過激な言葉遣いで対立候補を攻撃したQの存在は、トランプ支持層に瞬く間に拡散した。そしてQの支持者はいつしか〝Qアノン〟と呼ばれるようになり、選挙戦の進行と共に勢力を拡大していった。

Qアノン・ムーブメントは、〝ディープステート〟という闇の組織の存在なしには語れない。語感としては、ウォーターゲート事件のディープスロートを彷彿とさせる。NOW＝新世界秩序とか、実際の政治でも使われるネオコン（ネオコンサーバティブ＝新保守主義）という言葉のニュアンスも感じられる。

ディープステートは悪魔を崇拝する小児愛者の集団（主にエリート主義の民主党員や政治家、ジャーナリスト、エンターテインメント産業などの大物たち）が昔からコントロールしてきた集団であるという。メディアやエンターテインメント業界の圧倒的な権力を使い、自分たちにあらがうトランプ大統領を陥れようとしている。ごく簡単に図式化すれば、こうした背景を信じて疑わず、決してぶれることなくトランプ大統領を応援している人たちがQアノンということになる。Qの書き込みの内容も、そもそもディープステートありきだった。ディープステートという陰謀論に対する対抗神話のような形で生まれたのがQであり、Qアノンだったと見ることもできる。

〝最新ネット陰謀論に洗脳された人たち〟と形容されることが多いQアノンは、もっとひねった言い方をするなら、〝最新ネット陰謀論に基づく自己達成的予言に酔いしれる人たち〟あるいは〝黒魔術的な自己実現という形のスピリチュアリズムの一形態に傾倒する人たち〟と表現できるという意見もある。

冷静な視線を向ける人たちも少なくない。Qアノンの〝教義〟である陰謀論があまりにもぶっ飛びすぎているため、トランプ支持に回っていたミリーシャ（民兵組織）の大部分は進んでコラボしようとは思わなかったようだ。しかし、バイデン候補の大統領就任が決まったことを受け、さらにひとつ上のレベルの陰謀論が目立つようになった。〝インビジブル・ガバメント〟（見えざる政府）という概念だ。

見えざる政府に関する言葉を残した歴代大統領も少なくない。アメリカ合衆国という国家が、国民が知り得ない仕組みによって運営されている事実を明らかにしようとした政府高官もいた。こうした考え方の根源は、1836年のアンドリュー・ジャクソン政権までさかのぼることができる。自己中心的な目的を実現するためにアメリカ合衆国政府を意のままに操る闇の組織は、共和党も民主党も支配下に収めている。いや、事実上〝所有〟しているといっていい。自分たちの存在を隠しながらさまざまな表の顔を使って活動し、政府から行政機関、教育界、法曹界、そしてメディアを利用している。

さらにはトランプ大統領と関係の深い秘密結社的な色合いと位置づけられる「ホワイトハット」という組織が新しい要素として盛り込まれるようになった。こうして、ホワイトハット／Qアノンのトランプ連合勢力と、ディープステート／インビジブル・ガバメントチームの対立構造が構築されるに至った。現状をつまびらかにし、将来を見通していくためには、より多くの情報が必要になるだろう。MATANA（Microsoft, Apple, Tesla, Alphabet, NVIDIA, Amazon）企業に対する連邦政府の当たりのきつさや、2020年を機に大きなうねりとなったBLM（ブラック・ライブズ・マター）運動、さらにはLGBTQ（レズビアン、ゲイ、バイセクシュアル、トランスジェンダー、クィア／クエスチョニング）運動の盛り上がりにもヒントが隠されていると指摘する声もある。アメリカ政府の舞台裏ですべてを操る〝総合プロデューサー〟とそれに対抗する勢力の暗闘は、形を変えながら続いていくようだ。

コロナより事態は深刻
——デジタルパンデミック

インターネットの大規模ダウンとか、通信網の機能不全が起きることはそう珍しくない。情報インフラも完全ではないのだが、今の世の中は依存度が年々高まり、不具合が起きるたびに被害のスケールが大きくなっていくという状況が続いている。日常生活にありがちなこうした場面も、陰謀論のモチーフとなる。

2020年12月14日、世界的なネットワークシステムが、ほんの少しの間ではあったが完全に近い形でダウンするという出来事があった。ホームページ閲覧やメールチェックができないことはもとより、スマートスピーカーもまったく反応しないという不都合を体験した人の数は、世界レベルで見れば数えきれないほどいたはずだ。

この日約50分にわたって起きた大規模障害は、前述の通りメールやブラウザはいうまでもなくスマートスピーカーにまで影響が及んだ。問題の根幹は、自動クォータ管理システムのパフォーマンス不良だった。ネットワークの中央に据えられたアイデンティティ管理システムで生まれた不具合が、世界中で同時多発的にエラーを起こした。

ただ、問題はここからだ。

今回のエラーは、さまざまな企業に向けて仕掛けられたサイバーアタックのさなかに起きたという事実が後になって明らかにされた。省内のシステムに対して同様の攻撃を受けたペンタゴンも翌12月15日に正式公表を行っている。事態は、機密情報が保管されているシステムの緊急シャットダウンにまで及んだ。しかもこの措置は昼間の業務時間内に行われた。緊急シャットダウンというドラスティックな措置が業務時間中に行われることはきわめて珍しく、緊急性を雄弁に物語る。当然のことながら前例はない。状況の細部が明らかになって行く過程で、少し前に国家安全保障省のシステムがハッキングを受けていたことも公表された。

実は、この出来事はインターネットシステムと全世界レベルでの配電網に対する機能完全停止のシミュレーションの一部だったという説がある。フルスケールで実施されれば、影響を受ける時間も範囲も今回とは比べ物にならない事態に発展してしまうだろう。

皆さんは、インターネット接続がまったくない状態でどのくらい過ごすことができるだろうか。無線LANのルーターをつないで使っている場合は、テレビも見られなくなる。それだけではない。いわゆるスマート家電はすべてダウンしてしまう。〝グローバリスト〟が狙っているのは、まさにこうした状況であるというのだ。

不具合からさかのぼること約4カ月前。世界ビジネスフォーラムの席上で〝デジタルパンデミック〟というトピックが取り上げられていた。当時猛威を振るっていたコロナウイルスよりもはるかに深刻な事態として位置づけられた重要な議題だ。世界経済フォーラムの最高運営責任者ジェレミー・ユルゲンスは、次のように語った。

「私は、さらなる危機が訪れると考えている。コロナ禍よりも重大で、コロナ禍よりもスピードが速い。経済的にも社会的にも、影響はさらに大きなものとなるだろう」

世界経済フォーラムの創設者／会長を務めるクラウス・シュワブ氏は次のように述べた。

「サイバー攻撃の脅威は枚挙にいとまがない。電力供給や交通インフラ、医療サービスを含む包括的なサイバー攻撃の可能性を想定してはいるが、十分な注意が払われ、準備が整えられているとは言えない。今日の社会で、世界規模のサイバー攻撃が起きれば、コロナウイルスのパンデミックとは比較にならないほどの損害を被ることになるはずだ」

2021年に発足したバイデン政権は、デジタルパンデミックについてトーンダウンしているように思える。陰謀論者はそう見ているようだ。ただし、海外経由のサイバーアタックの懸念は重要視しており、トランプ政権よりもはるかに具体的な方策が立案され、常にアップデートが続けられているという話もある。

第三次世界大戦は、陸海空を舞台に繰り広げられるものではない。主戦場となるのは宇宙とサイバー空間だ。陰謀論陣営の枠組みの中では、そんなコンセンサスが出来上がっている。そしてデジタル戦争めいたものが起きるのなら、主役はアメリカと中国になるという見立てが圧倒的になっている。

ただし、2023年6月になって中国との関係修復を模索しているバイデン政権の立ち振る舞いによっては、サイバー戦争は回避されるかもしれない。いや、習主席は高齢を理由に支持率が下がっているバイデン大統領の自滅を待つだろう。そんなシナリオも取りざたされている。

サイバー戦争はすでに始まっている。世界規模の混乱は、すぐそこまで来ている。世界経済フォーラムの席上で行われた〝予言〟を回避する手立てはない。サイバースペースを駆け巡る陰謀論を信じるなら、それは〝起きるかどうか〟ではなく、もはや〝いつどのように起きるか〟という目の前の問題としてとらえるべきなのかもしれない。

映画の世界が現実のものに——スカイネット

アーノルド・シュワルツェネッガー主演のヒット作『ターミネーター』シリーズのファンは今も多い。そして、ファンの間ではまるで刷り込みのように〝スカイネット〟という言葉が定着している。スカイネットというのは、シリーズに登場する架空のAIコンピューターで構築される情報システムの名前だ。

映画の中だけの存在のはずだったスカイネットが実現しつつある。陰謀論の世界では、最近そんな噂が盛んに囁かれている。

「恐れてはいないが、AIの誤った使い方についてはかなり心配している。そういう言い方になるかな。これまで武器化されていないテクノロジーは存在しない。AIは素晴らしいと思う。でも、世界を終えるきっかけにもなると思う」

Chat GPTの生みの親であるサム・アルトマン氏も似たようなコメントを出したことがあるが、これは彼の言葉ではない。AI（人工知能）というものの概念の生みの親の一人と言える『ターミネーター』初期2作の監督を務めたジェームズ・キャメロンだ。

フィクションの世界の中だけの事実だったはずのスカイネット＝AI戦争システムは、すでに実用化されているという話がある。単なる噂ではない。NSA（アメリカ国家安全保障局）の監視プログラムに、この名称が使われているのだ。

アメリカのネットメディア『The Intercept』で発表された記事によれば、NSAは調査対象者の場所とコミュニケーションのパターンを割り出すシステムを開発した。大規模ネットワークから対象者のデータ発着をピンポイントに割り出し、そこだけのフローを抽出して蓄積する。中東カタールの衛星テレビ局アル・ジャジーラのアメリカ特派員アハマド・ムアファク・ザイダン氏がスカイネットのターゲットとなり、対テロ諜報員のみで構成される情報網に乗ったという話も複数のニュースソースで確認されている。

CIAの内部告発者として一躍有名になったエドワード・スノーデンはNSAとも深く関わっていた。そのスノーデンは、次のようにコメントしている。

「スカイネットは複数の研究機関および企業の共同体による研究の成果であり、地理空間情報および地理時間情報、そして生活パターンおよび移動分析をすべて盛り込んだデータベースを基に、監視対象の行動パターンをつまびらかにする」

機密文書の内容を公開するという方向性のサイトはウィキリークスだけではない。中でもハードコアな『The Black Vault』をはじめ、やや和らか目の『Wired』といったサイトでもスカイネットの監視テクノロジーの話題がかなりの頻度で取りざたされている。しかし、話はここで終わらない。陰謀論者の間では、本当の驚異となるのはスカイネットのマルチターゲット性であるといわれている。特定の個人だけではなく、特定のグループに絞った形での行動監視や情報収集が可能となるのだ。極論すれば、たとえば量子コンピューターと組み合わせれば全世界の個人を毎日監視することもできるし、さらにＡＩと組み合わせて行動予測まで可能になってしまいそうな勢いだ。

アプリケーションの例として『スカイネット：機械学習を用いた行動検知』というタイトルでプレゼンが行われたこともある。内容は「メタデータを基に似たようなスマホの使い方をしている人たちを抽出し、グループ化した後にライフスタイルやソーシャルネットワークの嗜好と指向性、さらには旅行をはじめとする移動パターンを割り出す」となっている。スカイネットのサービスを受ければ、ありとあらゆる業種のマーケティングがこれまでの時代とはくらべものにならないほど楽になり、短い時間枠の中で効果的な方策を実行することができる。

いや、本当に怖いのはそんなことではない——そういう強い警告の声も日々大きくなっている。スカイネットを使えば、日付や時代を座標のような形で指定し、データを集めれば、国民の行動パターンや意向、あるいは最大公約数的な思考を詳しく知ることができる。こうしたデータを基に、その時の状況に応じて国民に〝響く〟方法で働きかければ、かなりの効果が期待できる一種のマス・マインドコントロールが可能になる。相手にそうとは意識させないまま、管理することができてしまうのだ。

新しいテクノロジーは、便利さがことさら強調される。また、新しいテクノロジーを日常生活に導入しないと、あたかも世界そのものから取り残される恐れにとらわれてしまう。こう書くと、筆者自身がゴリゴリの陰謀論者に思えてしまうかもしれないが、こういうニュアンスの意見もごく少数ながら主流派マスコミでも見られるようになってきた。ひょっとしたら、スカイネット・テクノロジーはもはや完全に実用化されていて、誰もが情報取得対象となっているのかもしれない。

現時点でも恐ろしいのは、なりすましであるとか、特定のデータの抜き取り的なものがすでに問題になっていることだ。こうした犯罪もさらに深く、広くなっていくかもしれない。さらに言うなら、特別なことは何もしなくても、ごく普通にスマートフォンやPCを使うことが実害につながる。これまで普通だった生活が激変してしまう可能性が高いのだ。

国内に敵が多すぎた!?——JFK暗殺事件

どこにいて、誰と何をしていたか——1950年代半ば以前に生まれたアメリカ人は、ジョン・F・ケネディ大統領が暗殺されたというニュースを聞いた瞬間を、その場の空気の匂いまで含めて鮮明に思い出すことができるという。とあるアメリカのサイトが近代アメリカ史最大の事件に関するアンケートを実施したところ、寄せられた回答でアメリカ同時多発テロ事件と並んでかなり上位にランクインしたのがJFK暗殺事件だった。

アメリカ史を語る上で、JFK暗殺事件を避けて通ることはできない。リンカーン大統領との因縁めいた数多くの話が都市伝説的感覚で語られることも多いが、ここではちょっと変わったアングルからJFK暗殺事件に関する陰謀論について触れていきたい。キーワードは、〝アポロ計画〟だ。

アポロ計画のゴールデンエイジを担っていたのは、間違いなくケネディ政権だ。陰謀論は、どんな要素にも入り込む余地を必ず見つけ出す。アポロ計画の場合、ケネディ大統領を含むごく一部のホワイトハウスのスタッフは月面に人工建造物があること、そして月面に降り立った二人の宇宙飛行士が地球外生命体を目の当たりにしたこと、さらには軍部が進めていた**月面軍事基地**についての知識があったというのだ（P.

１３２参照）。軍部が月面に基地を建設しようとしていた理由は、対ソ戦略において少しでも優位に立つためだったとされている。ちなみに、**地球外生命体に関する情報**はアイゼンハワー政権から脈々と蓄積されていたという大前提がある（Ｐ．１４０参照）。

地球人類よりも先に月面に到達していたものがいるという真実を知らされたケネディ大統領は、驚愕したに違いない。しかもニュースソースは、アポロ計画を主導していたＮＡＳＡではなく、軍部――特に陸軍だ。

１９６３年９月20日に行われた国連第18回総会で、ケネディ大統領はアメリカが旧ソ連と協調して宇宙開発を進めていく可能性についてのスピーチを行っている。当時のアメリカは旧ソ連との対決機軸を構築しており、同盟国に対する面子《めんつ》もあったはずだ。そのアメリカの大統領が、こともあろうに国連総会というこれ以上ないほどの国際舞台で、旧ソ連との共同宇宙開発の可能性に触れた。何もなかったとは思えない。そしてこんなシナリオが浮上した。

地球外生命体が存在する絶対的な物証を握っていたＮＡＳＡは、アポロ計画の本質的な部分の一部としての軍部との共同プロジェクトを進めていた。共同プロジェクトというのは、月面基地の建設だ。その過程で、現場作業に当たっていた軍部と月面の異常構造に関する情報を共有していた。月面の異常構造というのが、NASAが地球外生命体存在の絶対的物証として認めた要素だったに違いない。

NASAが軍部との緊密な関係を保ちつつ、その後も独自の調査の継続を望んでいたことは、組織の本質から考えても当然だろう。異常構造を作った存在への早急な対処を迫られていた軍部と、さらなる月面調査・開発のスケールアップを狙っていたNASAの思惑は一致する。しかしそれは、莫大な予算を伴う新たな計画の立案と実行を意味していた。このあたりから、ホワイトハウスと軍部／NASAの関係にひずみが生じ始めた可能性が否めない。何としても予算を確保して計画を進めたかった軍部が、NASAを巻き込んで行動を起こしたとしたら……。軍産複合体の契約企業グループがケネディ暗殺の一端を担っていたという説も根強く残っている。アポロ計画の終焉にも、歴史の闇に覆われる部分があったのではないだろうか。ケネディ大統領は、当時の旧ソ連との関係性、そして地球外生命体への対策を考え、総合的な〝国益〟を追究したグループによって命を奪われた。

ボストンにあるJFK図書館には、膨大な量の音声データが保管されている。ケネディ政権で顧問を務めていたセオドア・ソレンセンは、ケネディ大統領はどこまでも膨らむアポロ計画の予算に懸念を示していたと語っている。

暗殺事件の数日前、ケネディ大統領は予算局に対してＮＡＳＡの予算に関する書類の作成を指示していた。しかし正式な書類がケネディ大統領の手に渡ることはなかった。大統領命令によってアポロ計画の全体的評価が行われ、予算の規模と考え合わせた上で何らかの結論が下されたことは間違いない。二期目を目指していたケネディ大統領が、莫大な資金を必要とするアポロ計画をマイナス要素としてとらえたとしても不思議はない。アポロ計画終焉の原動力となったのはケネディ大統領だったのか。そういう空気を微妙に嗅ぎ取った軍部とＮＡＳＡが実力行使に出たのか。

暗殺の実行犯として逮捕されたリー・ハーヴェイ・オズワルドは、事件が起きたダラス警察に身柄を拘束され、刑務所へ移送される際にジャック・ルビーというポーランド系マフィアのメンバーに射殺されている。

余談になるが、ＪＦＫ暗殺現場の状況と、２０２２年7月8日に起きた安倍晋三元首相銃撃事件との奇妙な類似点を指摘する陰謀論が存在することも併せて記しておく。

Column 01

AIがお相手!? シンギュラリティ直近の国際ロマンス詐欺

情報バラエティー番組やニュース番組で〝国際ロマンス詐欺〟という言葉を見聞きするようになってから、かなりの時間が経っている。そもそもはターゲットの恋愛感情を利用して、一人娘の手術の資金が足りないとか、日本に行くためのチケット代を出してほしいといった理由で金を騙し取るという方法論だったが、近頃は暗号資産や不動産などの投資話を持ちかけるという手口が主流になっている。

カメルーンやナイジェリアに本拠を置く実行グループは数えきれないほどあって、日本人リーダーが逮捕されたこともあった。リーダーが率いるグループがあって、偽のプロファイルや写真を準備する係、それを用いた偽アカウントを作ってターゲットに（FBなら）友達申請をして他のアプリでのやりとりに誘い込み、本格的に詐欺のスキームに落とし込んでいく係、偽の第三者（軍の上官であったり、税関など国家レベルの公的機関の職員であったりする）としてそのサポートをする係など細分化していて、それぞれの係が独自のストーリーに基づいて与えられた役柄を演じながらターゲットを騙していく。

というのがこれまでのスキームだったのだが、今はまるで違っている。まず、ターゲットを騙しているのは人間ではなく、高度に発達したAIだというのだ。AIがネット上に巨大な網を広げて無数に存在するSNSアカウントの個々の特性あるいは特徴を割り出し、データとして蓄積する。ここには当然、大きな金額の被害に遭った人たちのアカウントも含まれる。それを吸い上げ、プロファイリングを行ってターゲットを決めていく。同時に、ディープフェイクなどの最新映像技術を用いて、ターゲットとの間にまったく違和感のないコミュニケーションを構築していく。

陰謀論の枠組みの内側では、AIが自ら人間を欺く形で働くようにする仕組みができあがっているというシナリオが当たり前に近い感覚なのだ。まだ残っている古い形の組織（すべてが人間によって行われるタイプ）も、システムの最上層ですべてを仕切っているのはAIであるという話もある。ひょっとしたら、機械が人間の能力を追い越すシンギュラリティ（技術的特異点）の到来が最も早いのは国際ロマンス詐欺かもしれない。

【第二章】

闇の勢力が企てる陰謀論

ディープステートと呼ばれるものの構図

来たる2024年アメリカ大統領選挙にも出馬の意欲を見せ、精力的な活動を展開しているトランプ前大統領。この本の執筆時点で、共和党の候補者として最も人気があり、起訴を受けているにも関わらず47％という高い支持率を誇っている。ライバルとなるフロリダ州のディサンティス知事の支持率は26％、前の政権でタッグを組んでいたペンス元副大統領は撤退表明をしたので、共和党の候補としては大本命ということになる。

さらには、6月25日のNBCの調査では現大統領バイデン氏の支持率が49％に対し、トランプ元大統領が45％と肉薄している。なぜ、起訴されている人物がここまで支持されるのか。この背景には、トランプ元大統領vs.ディープステートという対決機軸に関する根強い陰謀論がある。

〝ディープステート〟という言葉には、少なくともアメリカ国内では、連邦政府の一部の職員によってあらかじめ熟考され、練り上げられた議会も大統領も関係なく進められる政策を実行していくための策略なり思惑という意味合いが込められている。

2014年、元議員補佐官のマイク・ロフグレンという人物が『ディープステート解剖学』という論文を通して、アメリカ政府内部で何の制約も受けないまま自由に活動するディープステートの実態を明らかにした。

ロフグレンによれば、ディープステートは〝政府関係者と金融界、産業界のトップから成る組織〟であり、正式な政治的過程を経ることなくアメリカという国家を事実上思いのままに操ることが可能だ。さらに言うなら、ディープステートは政治的陰謀団ではなく、〝国家の中に存在する国家〟のような位置づけが正しいという。緊密な関係性を保ちながら、政府だけではなく、プライベートセクターにまで影響力を及ぼす。

2016年大統領選での驚くべき勝利の後、トランプ大統領とその支持者たちは、名もない政府高官と情報・諜報関係分野の専門家グループがディープステートを形成し、秘密裡にトランプ政権の政策を邪魔していると確信した。主な手法は、トランプ大統領にとって不利になる情報の意図的な漏洩だ。

トランプ大統領と主席戦略補佐官スティーブ・バノンは、超保守派インターネットメディアである『ブライトバート・ニュース』を通して、オバマ元大統領がディープステート勢力をまとめてトランプ政権に攻撃を加えているという主張を行った。そんな話もある。トランプ大統領本人が本当にそう言ったかどうかについて確認したメディアは存在しないが、あっという間に既成事実化してしまい、ディープステート側のプレイヤーであるオバマ元大統領がホワイトハウスの電話を盗聴しているというところまで話が膨らんでしまった。もちろんこちらも、いわゆる裏は取れていない話だ。しかし、一度走り出した陰謀論は止まらない。

トランプ支持派の人々にとって、本当の敵は民主党ではないし、下院ではなかった。大統領に対する忠誠心が疑われることなどあってはいけない、国家安全保障体制の中枢を構築するエリート層のエスタブリッシュメントだったのだ。

こうして、ディープステートという言葉は一気にパワーアップし、その後陰謀論の枠組みの中でしっかり定着していった。マイアミ大学科学・芸術学部で教鞭をとる政治科学の専門家ジョゼフ・アシンスキー教授はこう語る。

「ディープステートという存在の概念は受け入れやすく、想像しやすいためか認知度が非常に高くなっている。これは、特に陰謀論者の間で顕著な特徴となっている。政府内に巣食う得体の知れない存在のイメージと語感がぴったり一致したのだろう」

アシンスキー教授は、1991年のハリウッド映画『JFK』を例に挙げながら話を進める。この映画で、オリバー・ストーン監督は1963年のJFK暗殺事件に政府内部の極秘タスクチームの関与があったことをほのめかしている。ストーン監督が このチームをディープステートと呼ぶことはなかったが、政府内部の極秘グループという コンセプトはディープステート以外の何物でもない。

アメリカ政府の中枢にありながら陰謀を立案し、それを実行するエリートグループ。すべての陰謀論者が飛びつくようなモチーフだ。だからこそ、前出の『ブライトバート・ニュース』のような媒体に注目が集まる。そしてより多くの人たちが関心を示すにつれ、陰謀論と世論の境界線があやふやになり始める。こうして、政権内部のごく一部のエリートから成るディープステートの存在が既成事実に近いものとして認識されるようになる。この過程には、トランプ前大統領が多言した〝フェイクニュース〟というキャッチーな言葉も大きな役割を果たしたといえるだろう。

ディープステートという言葉は今や、まったく違和感なく使われている。そして、2024年の大統領選挙が近づくにつれ、トランプ前大統領との対決機軸は前にも増して明確化しつつある。これから先、話はどんな方向に進んでいくのだろうか。

パンデミックのシナリオだった?
――イベント201

人類が体験したことがなかった3年間が終わろうとしている。いや、していた。この本を執筆している2023年8月現在、コロナウイルスの感染者数が再び増加傾向にある。5類扱いになって高額な治療費が患者負担となったばかりのタイミングでの再流行。一体、どうやってリアリティを受け止めて咀嚼していけばいいのだろうか。

ただ、こうしたトレンドをあらかじめビジョンに思い描いていた――とされている――人物がいる。マイクロソフト創業者のビル・ゲイツ氏だ。コンピューティングの専門家らしく、シミュレーションという手法を通して地球の未来の姿を描いていた。そう主張する陰謀論がある。そもそものきっかけは、2019年10月18日にニューヨーク・シティで行われたとあるイベントだった。「イベント201」という名称だ。

コロナウイルスはかなり昔から存在していた。2002年11月16日に中国南部広東省で非定型性肺炎の患者が報告されたことから始まり、アジアやカナダを中心に感染が拡大し、2003年3月12日にWHOから〝グローバルアラート〟が発出され、7月5日に終息宣言が出されたSARS（重症急性呼吸器症候群）も、SARSコロナウイルスが原因だった。2012年に中東へ渡航歴のある人の罹患が目立ったMERS（中東呼吸器症候群）もMERSコロナウイルスが原因だ。

2019年10月18日、初のコロナウイルス感染事例が中国で確認される1カ月前。3時間半にわたるイベントが開催された。イベント201には、「シナリオに基づくパンデミック机上演習」というサブタイトルが付けられていた。目的は科学的事実に基づいたパンデミックのシナリオを作り、その中でどのように生きて日々を過ごしていくかのシミュレーションを限りなく現実に近い形で行うことだ。コロナウイルス由来の感染症の大規模な蔓延に関しては、SARSおよびMERSの流行を通し、ある程度の量のデータは集まっていたはずだ。しかしこんなことを書くと、陰謀論陣営から「そんな見方は楽観的で、甘すぎる」と猛烈な反撃が加えられそうだ。

イベント201は世界的企業や各国政府、公衆衛生部門担当の高官が集まって行われたもので、主催者によれば「未解決の現実的政策および経済問題が浮き彫りにされ、諸問題に対する政治的意思、資金投入、現在および未来に対する注意事項が明らかにされた」という。

イベントのウェブサイトには、こんな文章が示されている。

「今回の演習には、シナリオに基づいてあらかじめ撮影しておいた架空のニュース映像が使用され、それを現実と見立て、刻々と変わる状況への対応策を打ち出すためのディスカッションがリアルタイムで行われた。観衆となったのは、各分野のエキスパートである。パンデミックの発生は時間の問題である——参加者たちの見解は一致していた。演習のシナリオがもし現実化すれば、世界各国で壊滅的な被害が出る。今回の演習でシミュレーションに用いられたパンデミックはイベント201となり、有益な対抗策を講じるためには数種類の産業全体レベルでの提携と、各国政府・主要国際機関の連携体制が不可欠となる」

イベント201のシナリオは、人畜共通伝染性の新型コロナウイルスのアウトブレイクを想定している。感染経路はコウモリから豚、最終的に人間という方向だ。ウェブサイトに掲示されている文章は、次のように結ばれている。

「パンデミックの発火点はブラジルの養豚場だった。初期の感染速度はそれほど早くなかったが、医療現場を中心に一気に蔓延し始める。人口密集地帯で人対人の感染が始まると、その時点で感染爆発という表現がふさわしい状況となる。まず空路を媒体としてポルトガルやアメリカ、中国へ飛び火し、その後周辺各国での感染が始まる。初期段階では最低限の管理に成功する国もあるかもしれないが、終息と再蔓延のサイクルが繰り返され、抜本的な管理方法を確立できる国はない」

陰謀論の枠組みの中では、最初からイベント201の主催者サイドに目が向けられていた。主催者はジョンズ・ホプキンス大学健康安全保障センターだが、共催という扱いでビル&メリンダ・ゲイツ基金と、世界経済フォーラムが名を連ねていた。世界経済フォーラムという名前を聞いて、反応しない陰謀論者はいない。

こうした流れから、陰謀論の枠組みの中では今回のパンデミックが仕組まれたものであり、イベント201はそのリハーサルだったと断定する見方が確立された。その中核にいるのは——あくまで陰謀論者の視点からの話だが——世界経済フォーラムであり、ジョンズ・ホプキンス大学も決して無関係ではないはずだ。

もちろん、ビル・ゲイツ氏に対しても大きな疑念が向けられている。ただ、ネガティブな見方が圧倒的に多い中でも、ビル・ゲイツは真摯な態度でパンデミックのシミュレーション製作に関わっただけで、結果的には被害者だったという見方もあるのが興味深い。パンデミックを〝引き起こした〟張本人に関する推測は、陰謀論というフィルターを通して、これから先もさらに続いていくはずだ。

戦艦テレポーテーション実験——フィラデルフィアで何が起きた？

1984年の話。『フィラデルフィア・エクスペリメント』というハリウッド映画が公開された。いわゆるB級映画なのだが、今では多くの熱狂的なファンがついているカルトムービーという位置づけになっている。この項目では、この映画のタイトルにもなっているフィラデルフィア実験について掘り下げていきたい。

話の広がり方は都市伝説的だった。1943年、フィラデルフィア海軍造船所である極秘実験が行われたとされている。目的は、肉眼では見えない状態で戦艦を敵国の領海に配置する機能を持たせる技術の開発だった。実験に使われたのは、アメリカ海軍所属の駆逐艦USSエルドリッジだ。

陰謀論としての芽は、1955年にモーリス・K・ジェサップというライターが、実験の関係者を名乗る人物から送られてきた手紙を受け取ったことから始まる。それ以来、実験に関する具体的な内容の情報を独占的に入手し、発信し続けていたジェサップは、1959年4月19日に自分の車の中で亡くなっているところを発見された。死因は一酸化中毒だったので自殺ということで処理されたが、何者かに殺害されたという噂が生まれる。陰謀論としての地位は、ここで確定したと言っていいだろう。

ジェサップに情報を提供していたのは、カール・M・アレンという人物だ。彼がジェサップに送った手紙は50通以上に達する。なぜアレンがジェサップを狙い撃ちのようにして内部告発の窓口にしたのか。今わかっているのは、強烈な〝つかみ〟のインパクトだけだ。

「私はエルドリッジから少し離れたところにいた。装置のスイッチがオンになると、全体がオーロラのような青みがかった緑色の光に包まれ、一瞬ひときわ明るく輝いた後に消えてしまった」

アレンによれば、エルドリッジはしばらくして再び姿を現わしたのだが、その前に起きたとされることにも触れておくべきだろう。フィラデルフィアで消えたエルドリッジは一度バージニア州のノーフォーク海軍造船所に姿を現わし、その後再びフィラデルフィアに戻ってきた。これは機密報告書にも記されている事実だが、エルドリッジの乗組員はひどい火傷を負い、ぼうっとした状態だった。さらに驚くべきなのは、生きた状態のまま船体と結合している乗組員がいたことだ。腕や脚をはじめとする体の一部が船体と同化し、動けなくなっていた。

以来、フィラデルフィア実験はアメリカ政府による極秘実験の代名詞というニュアンスで語り継がれている。そして、アメリカ政府（少なくとも海軍）は1943年の時点でテレポーテーションと、そこから発展してタイムトラベルにまでつながる実験を行っていたという話が生まれた。話はやがて独り歩きを始め、ジェサップに情報を提供したカール・M・アレンという人物の信ぴょう性に関する検証は時間の経過と共におろそかになっていった。

アレン以外の目撃者や関係者の証言はまったくなかったが、『フィラデルフィア・エクスペリメント』が公開されてしばらく経った頃、アル・ビエレクという男性が体験者として名乗り出た。しかしこの男が語ることはアレンの存在よりも怪しかった。彼は実験に参加していたが、すべてを忘れるよう洗脳されていたというのだ、しかし映画がきっかけになって、当時の記憶が鮮やかに蘇ったという。特に言うなら、乗組員と船体が結合してしまっている光景だ。

海軍文書のアーカイブ的な『Naval History and Heritage Command』というサイトがある。このサイトで、1996年9月8日にアップされたフィラデルフィア実験関連の資料を見つけた。A4用紙1枚程度のスペースに記されているのは、海軍によるきわめてオフィシャルな形の否定だ。

「過去何年間にもわたり、いわゆるフィラデルフィア実験と呼ばれるものの問い合わせが絶えない。この実験は、海軍研究事務所が深く関わる形で行われたとされている。フィラデルフィア実験という言葉がマスコミに登場するたびに、海軍研究事務所および在フィラデルフィアの第4海軍管区に問い合わせが集中する状態が繰り返される。

フィラデルフィア実験神話の原点は1950年に発刊された故モーリス・K・ジェサップの著作にある。1943年においても、他の時点においても、海軍研究事務所が物体の不可視化実験に関わったことはない。よって、海軍実験事務所はフィラデルフィア実験に関するすべての情報を否定し、話のすべてが空想小説の中でのみ存在しうる事実として断定する」

ところが、である。1996年になってからこのような内容の文書をあえて公表する海軍の姿勢が怪しいということになり、陰謀論の枠組みの中ではフィラデルフィア実験がしっかりと存在し、その後の極秘プロジェクトの礎となったというコンセンサスが確立されている。

陰謀論とは、無視して何もしなければ増殖し〝いちおう〟の体でも否定すれば増殖の速度が爆発的に上がる。そういうものなのだ。

陰謀論の宝庫バチカンの秘密

どんな種類の検索エンジンでもかまわない。Vatican（バチカン）そしてconspiracy（陰謀）という単語を打ち込んでみてほしい。驚くほどの数のサイトがヒットするはずだ。そしてこうした検索を行う際のキーワードとなるのは、記録庫を意味する〝アーカイブ〟という単語だ。さまざまなものを保管しておく場所というニュアンスもある。バチカンという言葉と組み合わせて使われた時は、さらに特別な響きを発するようだ。バチカンの記録庫には、どんな陰謀が隠されているのだろうか。

広さ0・44平方キロの国土に、1000人に満たない数の国民。バチカン市国は世界最小の都市国家であり、全体がローマ市の中に収まっている。しかし、カトリックの総本山でありローマ教皇の直轄地として機能し続ける世界最古の宗教機関の影響力は、想像もできないほど大きいのが事実だ。ただバチカンには、カトリックの聖都としてはおよそふさわしくない禍々しい歴史がある。少なくとも陰謀論の枠組みの中では、そういうコンセンサスができあがっている。

ならば、どこを見るべきなのか。陰謀論者の答えは、〝アーカイブ〟の一択にちがいない。記録庫の物理的なスケールに関してもさまざまな話がある。延べ53マイル分の棚と12世紀分の文書が所蔵されており、ごく一部の者しかアクセスが許されていない。こうした膨大な資料には、地球外生命体の存在、イエス・キリストが実在しなかった証拠、神という存在の本質などについての文書が、古いものなら西暦463年に書かれたものから揃っている。

ごく一部は学術関係者に対して公開されているものの、記録庫に保管されている文書は基本的に非公開だ。実際、2010年までジャーナリストは立ち入り禁止だった。いったい何が収められているというのか。ここでは、陰謀論の枠組みの中でも特に注目が集まる3つのアイテムを挙げておこうと思う。

●聖遺物

驚くには値しないかもしれないが、バチカンには極めつけの聖遺物が保管されているという噂が絶えない。この言い方は都市伝説的に響くかもしれないが、〝保管していて、あえてその存在を明らかにしない〟という言い方にすると、がぜん陰謀論的になるから不思議だ。保管されているといわれている聖遺物は、歴史的なものばかりだ。キリストが磔刑に処された十字架の実物から、槍に刺された傷口から出た血液を受けたとされる聖杯、モーゼの十戒の石板が収められていた契約の箱、はてはノアの箱船まで揃っており、これを見れば聖書の記述が史実だったことがわかる。イエス・キリストに因むものもかなり多く、腐敗がまったく進んでいないキリストの遺体やいばらの冠も実際に触れることができるという。

●クロノバイザー

2002年、フランソワ・ブルンという名の神父が『バチカンの新しい謎』という本を出版した。この本のテーマは、バチカン製のタイムマシンである「クロノバイザー」だ。そもそもはペルグリーノ・エルネッティという物理学に長けたバチカンの神父が作った装置といわれている。全体はブラウン管テレビのような外観で、いくつかダイヤルが付いている。このダイヤルの目盛りは年月日と座標をセットできるようになっている。そしてダイヤルの数値を正しく設定すると、過去の一時点に特定の場所で起きた出来事の映像がスクリーンに浮かび上がるというのだ。ブルン神父自身も実体験としてキリストの磔刑の場面を目の当たりにしたという。一説によれば、バチカン上層部はクロノバイザーを使ってキリスト教の歴史に関する重要な出来事をすべて確認しているという。

●ファティマ第3の予言

ポルトガルのファティマという村で、3人の子どもたちが聖母マリアの訪れを受け、きわめて詳細な内容の予言を与えられた。第1の予言では、地獄の業火で罪人たちが責められる光景が明らかにされた。第2の予言では、第一次世界大戦の終結から第二次世界大戦の勃発までの過程がつまびらかにされた。第3の予言は20世紀におけるキリスト教徒の迫害と、法王ヨハネ・パウロの暗殺が示された。

しかし、である。陰謀論者たちは、2000年になって明らかにされた第3の予言の内容はあくまでも表向きのもので、本物ではないと信じている。地球外知的生命体の存在に関する予言、あるいは反キリスト的な存在の出現についての予言であるという話があるが、これまで本質は明らかにされていない。

バチカンの秘密は、キリスト教に関するものだけではない。〝神の銀行〟という異名があるバチカン銀行は、次項目で紹介する**ビルダーバーグ会議**の金融部門と紐づけられることが多いし、教皇庁の高官が児童に対する性的虐待疑惑の中で亡くなったこともあって、ディープステートの中枢部と関連づけられたこともある。

いずれにせよ、その秘匿性が大きな要因になっていることは間違いないし、世界最大の宗教組織がすべてを明らかにすることはありえないだろう。何かにつけて可視性がリスペクトされる今の時代でも、これまでの体制が保持され続けていくのだろうか。

明日の世界を決めるビルダーバーグ会議

存在は世界中で知られているのに、実際は何をしているのかがまったく分からないグループ。この項目で紹介するビルダーバーグ会議は、そういうものの代表かもしれない。運営母体はオランダで国内最古のライデン大学内部に設置された小ぢんまりとしたオフィスにあるのだが、毎年開催される会議には、さまざまな分野の〝世界で最もパワフル〟な人々120~150人が集まる。ヨーロッパおよび北米の政界のエリート、産業・金融・学術界、そしてメディアのVIPなど、顔触れは多彩だ。

会議の席上で得られる情報を利用することは可能だが、情報提供者および会議の他の出席者の名前や身元は完全に秘匿する義務を負わなければならない。つまり、情報の利用は可能だが、情報源に関しては何も話してはならない。この性質がビルダーバーグ会議のすべてを物語ると指摘する声もある。何を話しても、発言者の身元が明らかになることはない。ここまでの秘密主義が貫かれ、その体制が守られ続けられる理由は何か。

ビルダーバーグ会議の究極の目的は、主として西側諸国がけん引するNWO（ニューワールド・オーダー）の全面協力体制の下、ファイナンシャル・グローバライゼーションを実現して管理していくことにほかならない。陰謀論ではそう認識されているようだ。ファイナンシャル・グローバライゼーションというのは、ごくざっくり定義するなら世界通貨の導入だ。ビルダーバーグ会議は、NWOの経済部門の実行部隊と位置付けることができるかもしれない。

第1回ビルダーバーク会議は1954年5月29日から31日、オランダ東部オーステルベークのオテル・ド・ビルダーバーグで開催された。主催者はポーランドの政治家で当時オランダに亡命中だったジョセフ・レティンガーだ。

第二次世界大戦後の西ヨーロッパにおける反米主義の台頭を危惧していたレティンガーはベルンハルト王子に接近して味方につけ、ベルギーの元首相パウル・ファン・ゼーラントと、当時から世界有数の一般消費財メーカーとして知られていたユニリーバ社の社長パウル・ライケンスを巻き込むことにも成功した。

そしてベルンハルト王子は当時のCIA長官ウォルター・ベデル・スミスに接触し、アメリカとのコネクションを確立した。スミスはアイゼンハワー大統領の顧問を務めていたチャールズ・ダグラス・ジャクソンに会議におけるアメリカ代表の地位を与えたのだが、このジャクソンという人物は心理戦の専門家で、後にケネディ大統領暗殺事件の重要証拠だった「ザプルーダー・フィルム」の開示をおさえるような動きを見せた人物だ。ここまでの登場人物を見ただけでも陰謀論的な要素が満載だ。

第1回ビルダーバーグ会議には、西欧11か国から50人の代表が出席し、加えて11人のアメリカ人が含まれていた。狙いは戦後の西側諸国の枠組みの中の複雑なパワーバランスと大きなトレンドを理解し、アメリカと西欧諸国の政治・経済・国防問題を非公式の形で自由に討議することだった。

以来毎年開催されているビルダーバーグ会議の席上で何が語られているのか。いかなるマスコミ関係者もシャットアウトされているので、ごく普通の社会でごく普通に生きているわれわれ一般人が知る方法はない。

ただし、第1回会議が開催された直後から、いわゆる「カバル」というグループの存在が取りざたされている。そしてこのグループは、先に紹介したレティンガーが実質的に率いる運営委員会ではないという。運営委員会をもしのぐ権力を持たされたカバルが、実質的に世界レベルで政治・経済・国防をコントロールしている。それがNWOの正体であるという声もある。

いや、違う。すべてを取り仕切っているのはキッシンジャー元アメリカ国務長官で、元EU副議長のダヴィニオン子爵エティエンヌ・ダヴィニオンと組んですべてを動かしている。そんな極端な指摘が行われたこともあった。陰謀論では、意図的な金融引き締め政策から世界人口の80%削減計画まで、すべてがビルダーバーグ会議の思惑とされている。組織の構造に関する解釈を例に挙げても、会議を取り仕切っているのはカバル＝NWOであり、その上位に位置してすべてを監督しているのがイルミナティである――伝説的秘密結社まで盛り込んだ解釈もあるのだ。陰謀論も一つの方向性でまとまっているというわけでは決してない。

2011年に発行された『陰謀説の嘘――ユダヤ陰謀論から9・11まで』の著者デビッド・アーロノビッチは次のように語る。

「ビルダーバーグ会議に関する陰謀論を信じる姿勢は、幻を信じるのと同じだ。神のように振る舞うことができる立場にある人間がいて、こうした人々が〝崇高なる力〟を駆使している。この世の中で、なにひとつ正しく機能していることなどない。世界は混沌でしかない。陰謀論というのは反科学的なメッセージを心から信じ込むことで自分を癒そうとするひとつの手段なのだ」

ただもう一度、絶対的な事実を記しておく。ごく普通の社会で普通に生きているわれわれが、真実を知る方法はない。陰謀論が芽生えるスペースとしては、十分すぎる。

増殖し続けるNWO

以前は〝新世界秩序〟という訳語が当てられていた〝NWO〟＝ニューワールド・オーダーは、数年ほど前からわざわざ訳を入れずにそのまま使われるようになった。この言葉のニュアンスが広くそして深く浸透したからだと思っている。そしてNWO陰謀論は、これから先も世相に応じて速度を変えながら、まだまだ続いていきそうだ。終章がいつ訪れるのか、現時点ではまったくわからない。

NWOに関しては、単なる陰謀論の枠からはみ出しながら存在するものとしてとらえられることが多い気がする。その源は、ブッシュ（ジュニア）政権において副大統領を務めたディック・チェイニー、国防長官を務めたドナルド・ラムズフェルドをはじめとするいわゆる〝ネオコン〟と呼ばれる政治家グループにある。

NWO陰謀論の基本的な部分は、この政権におけるネオコン・グループのあまりに強いパワーエリート的なイメージに起因しているのではないだろうか。ごく少数の人間から成る極秘グループが全世界の政治・経済を一手に管理し、運営していくフォーマットづくりおよびその実践という図式だ。人知れず存在する圧倒的な体制の下、一般人の大多数が奴隷化され、少しでも反意を見せれば逮捕の対象となる。NWO陰謀論を信じる人々はこのように考える。現時点での世界各国政府の指導者層が体制の一部として機能し、それぞれのグループが〝持ち回り〟でさまざまなイベントをプロデュースしている。ある意味、いや文字通りNWOのために擬態しているのだ。

NWO陰謀論が勢いを増した背景には、ネットの各種フォーラムが大きな役割を果たしたという事実がある。イギリスにはシャドウ・キャビネット＝影の内閣という概念がある。日本では、社会党が1991年から1993年まで組織していた。実際の政権の閣僚と同じ割り振りで野党が内閣を作成するという昔からある慣習的なものなのだが、この言葉のニュアンスを曲解して表現した考え方が、NWO陰謀論の核の一部分を形成しているという言い方が真実に近いのではないだろうか。いずれにせよ、いかなる形態であれ、NWO陰謀論の基本の部分にあるのは、ごく一部のエリートが大多数の人民を支配するというディストピア的な構図の未来像にほかならない。

一時は主流派マスコミの媒体でも見かける旬なワードだったのだが、その勢いも薄れ、安定した状態で静かに存在し続けていた。しかし、時のリーダーが何気なく発するひと言によって、全盛期のパワーとインパクトが一気に戻ることがある。昨年の3月、ロシアのウクライナ侵攻が始まって約1カ月経った頃、政財界の重鎮を集めた円卓会議的なミーティングの席上で、バイデン大統領が発したひと言が発火点となった。

ロシアに対するアメリカの反応を訊ねられたバイデン大統領は、こう答えた。

「今は、ものごとが大きく変化している時代だ。新世界秩序が構築されつつある。そしてアメリカはその体制を率いていかなければならない」

NWO陰謀論の信奉者にしてみれば、勢いが削がれる時期はあったものの、脈々と続いてきた絶対的な世界支配システムの成熟期が近づいている事実を認めるコメントにしか聞こえなかったはずだ。バイデン大統領はさらに、〝リベラルワールド・オーダー〟という新語も繰り出した。こちらもNWO陰謀論の新しい展開におけるキーワードとなるのは時間の問題だろう。

実際、ゼレンスキー大統領を主役に据えたリベラルワールド・オーダー関連の陰謀論がすでに流布し始めている。そもそも2019年のウクライナ大統領選挙は〝グローバリスト〟(世界主義者：NWOの中核的グループ)によって仕組まれたもので、ゼレンスキー大統領はNWO側の操り人形として機能するようデザインされているという。この構図でいうと、対決機軸の反対側にいるプーチン大統領は正義の味方ということになり、ウクライナ侵攻の全体像の様相も真逆になる。なぜ侵攻などというドラスティックな手段に出たのか。それは、ナチスの残党で構成され、人身売買をはじめとする違法行為を容認する犯罪国家ウクライナのあり方を正すためということになる。

現実はどうだろう。この本の執筆時点では、世界世論の圧倒的マジョリティーがウクライナ支持派に占められており、ウクライナのＮＡＴＯ加盟や戦費の援助、武器弾薬の提供資金など、西側諸国がこぞって有形無形の厚い支援を展開している。ネオコン時代から始まった陰謀論が、時代と共にプレイヤーを変えながら進化し、さらに現在は実際に起きている戦争とその当事国の指導者ふたりを巻き込みながら、ディストピア的な未来図へ突っ走っている。

もうひとつ、指摘しておきたい要素がある。それは、２０２４年に迫ったアメリカ大統領選挙だ。別項目（P．０２４、０４２参照）で触れているが、アメリカには**ディープステート vs. Qアノン**という対決構造があり、このあたりは陰謀論の構造の細分化が見え隠れしている。ＮＷＯ陰謀論は、現在進行形のウクライナ戦争、そして２０２４年のアメリカ大統領選を経て、どのような形で進んでいくのだろうか。

大空を彩る毒雲
ケムトレイルの変遷

〝ケムトレイル〟という言葉を初めて聞いたのは、20年くらい前だっただろうか。当時アメリカでは高圧線や普通の水道水が原因で起きるとされる健康被害の暴露が続いていた。その一環で取材を行っていた時に、この奇妙な響きの言葉を知った。

健康被害をキーワードにして流布していった初期のケムトレイル陰謀論は、何者かによって呼吸器疾患を引き起こす化学物質――ケム＝化学物質の、トレイル＝航跡という造語にはこういう意味がある――が散布されているという、ざっくり言うとそのような内容だった。

それが時間の経過とともに、ＳＡＲＳのような呼吸器系疾患の実験であるとか、不妊誘発物質の散布計画であるとか、あるいは新種の向精神薬を使った大規模マインドコントロール実験であるとか、都市伝説的な方向性で進化していった。こうした系統の話が流行したのはかなり前だが、すでに終息しているかと言えば、決してそうではない。

ＪＦＫの甥で、２０２４年アメリカ大統領選に民主党を出て無所属候補として出馬するＲ・ケネディ・ジュニア氏は、選挙戦序盤からいろいろな意味でインパクトのある発言を続けている。中でも注目されているのがコロナワクチン接種への明らかな疑念を隠そうとしない態度だ。しかし筆者がここで強調したいのは、今になってケムトレイルという言葉を持ち出している事実にほかならない。R・ケネディ・ジュニア氏がこのまま順調に立候補するならば、ケムトレイルという言葉もバズワードとしてのランクが上がり、公約に関係するところまでとは言わないが、かなり重要な問題として取り上げられることは間違いないと思うのだ。そしてそのR・ケネディ・ジュニア氏の言動がそのまま、ケムトレイル陰謀論の最新トレンドとなっている。

ケムトレイルが含む成分が空中から水源に落下し、それが水の中に溶ける。これまでは向精神薬成分とか不妊剤成分――これでも十分すぎるほど過激で陰謀論的だが――が使われていたが、現在進行しているプロジェクトではアメリカの若年層のセクシュアリティを意図的に変えるための薬剤が用いられている。どういう意味か。彼が使ったそのままの言葉を引用するなら「男の子の女性化、そして女の子の男性化」が進められているということになる。さらには、テレビの取材が入ることがわかっている演説会でこう語った。

「最近子どもたちの性的アイデンティティの認識が薄れ、性別についての混乱が起きているが、これはケムトレイルが原因である可能性も考えられる」

ケネディ・ブランドの大統領候補がそんなことを言うわけがない。誰もがそう思っている。だから話は複雑になって「R・ケネディ・ジュニア氏を洗脳して陰謀論を無理やり語らせている何らかのグループなり個人なりがいるに違いない」というスピンオフのような陰謀論まで生まれているのが実情だ。

数年前からのトレンドでは、ケムトレイルには天候変換技術の実用化を目的として実験が重ねられている化学物質が含まれているという話がある。この種の話がピークを迎えたのは、2019年の世界経済フォーラムで、あのグレタ・トゥーンベリさんが女子高生環境活動家としてトランプ大統領やボルソナロ大統領に激しい言葉をぶつけたタイミングだった（そもそも、世界経済フォーラムやダボス会議も数多くの陰謀論の中核的な要素ではあるのだが）。

その後続いた異常気象で山火事や砂漠の雪といった奇現象が何度か起きたが、これはケムトレイルを**HAARPテクノロジー**（P.196参照）の組み合わせによって実現したという話がまことしやかに広がったことも記憶に新しい。そして、2020年5月に刊行された『Chemtrails Exposed: A New Manhattan Project』（『ケムトレイルの正体：新マンハッタン計画』ピーター・A・カービー著・邦訳は未刊行）という本を紹介しておきたい。この本のエッセンスは、ポール・ウィリアムスという陰謀論系ライターによる推薦文に如実に表れている。

「ケムトレイルはごく普通の飛行機雲を曲解しているだけだ。政府機関や主流派マスコミは口を揃えてそう主張する。果たして、本当にそうなのだろうか。ならば、雨水や大気サンプル中から大量の化学物質が検出されるのはなぜか？　ジオエンジニアリングの名のもとにさまざまな物質が空中散布されている事実をどう説明できるのか？　この本は、政府と主流派マスコミが無視し続けるデータをつまびらかにしていくものである。ジオエンジニアリングという言葉を通して行われていることの本質を明らかにしていくものである。信じようと信じまいと、政府や主流派マスコミが真実を語ることはないのだ」

呼吸器系疾患を意図的に引き起こす薬品を散布するアプリケーションというコンセプトで生まれたケムトレイル陰謀論。この項目で強調しておきたいのは、自ら進化しながら時代時代の様相に機敏に反応し、様相を変えていく陰謀論の特性だ。

Column 02

GHQが紡ぎ出した埋蔵金伝説

埋蔵金という言葉に胸を高鳴らせる人がいる。陰謀論者も同じだが、方向性が少し違うかもしれない。胸を高鳴らせるだけではなく、かなりディープなところまで掘り下げ、既存のストーリーラインとはまったく異なる話が生まれる。

埋蔵金に関する話で有名なのは、なんといってもフィリピンの山下財宝だろう。2018年には、ルソン島サンバレス州沖にあるカポネス島で深さ約5メートルの穴を掘った疑いで日本人4人とフィリピン人13人が逮捕された。

第二次世界大戦中に山下奉文大将がフィリピンのどこかに隠したと言われる財宝に関する話は、現地でも日本でも都市伝説的な扱いなのだが、この話をリアルなレベルでとらえ、宝探しを実行してしまう人がいるのも事実だ。その総額は約600兆円といわれている。そして前述のように、逮捕されるほどの熱量を抑えきれない人もいるようだ。ちなみに、イメルダ・マルコスが残した「夫は山下財宝を基にして巨大な富を築いた」というコメントも、ストーリーに信ぴょう性を加える役割を果たしているに違いない。

日本国内で山下財宝と同じくらいポピュラーな話は、徳川埋蔵金だろう。明治新政府に江戸城を明け渡す前に、幕府が準備資金として持っていた御用金の通称ということになる。現在の価値はざっと3000億円ほどになるという。

一時期テレビの2時間特番で大規模な発掘プロジェクトが展開され、これは実に4年間も続けられた。かつて家康の黄金像が見つかっていたが、謎の失踪で行方不明になってしまうというミステリアスな事件もあり、なぜかこの要素が埋蔵金の存在にリアリティを与えたという見立てもある。埋まっている可能性が一番高いとされているのは群馬県の赤城山だが、本格的な調査が開始されてから40年以上が経過した今も発見には至っていない。

山下財宝にしても徳川埋蔵金にしても、歴史文書を通してある程度のリアリティが感じられる。しかし、このストーリー全体がGHQによって紡ぎ出された陰謀論であるとする意見がある。どちらの話も信じ切っている人がかなり多いので、本当に陰謀論なのだとしたら、通用する陰謀論の絶対的なひな型となるかもしれない。本文でも触れているソーシャルエンジニアリングの成功例ともいえる。

【第三章】

戦争・事件・テロに隠された陰謀論

災害や準軍事に特化した組織FEMAの本当の役割

大きな災害が起きたときに大活躍するのは、日本では自衛隊だ。しかし、自衛隊の設立目的は災害への対応ではない。アメリカには、地震や台風、山火事など総合的な意味合いでの自然災害と、それに加えて準軍事的な行動に特化したFEMA（Federal Emergency Management Agency＝連邦緊急事態管理局）という組織がある。その特性から国民の大きな支持を受けて当然なのだが、実際はそうではない。むしろ、疑念に満ちた視線を向けられているのが事実だ。なぜか。

最近は、FEMAに関する極右系陰謀論――ネット上で使われている形容をそのまま使う――が流布しているようだ。そもそものきっかけは、FEMAとFCC（Federal Communications Commission＝連邦通信委員会）が、2021年8月11日に全米規模で行った緊急警告システムのテストだ。FEMAはこのテストについて、「緊急メッセージはテレビとラジオ、そして無作為に抽出した携帯端末に送られる」という公式コメントを出していた。

これを受け、陰謀論者たちは右翼系も左翼系も中道派も関係なく騒ぎ始め、このテストの真の目的に関する推測が次々と展開されることになった。通信網を完全な形で乗っ取るためのリハーサルであるとか、当時流行のピークにあったコロナウイルスに対するワクチン強制接種プログラムの開始であるとか、ロックダウン徹底化の初期段階であるとか、アメリカ国内ではさまざまな話がネット上で飛び交うことになった。

陰謀論の枠組みの中でもダイハードな極右と形容されるロン・ワトキンスとアレックス・ジョーンズという人物がいる。彼らも『テレグラム』というSNSに即座にコメントを書き込んだ。ジョーンズは、バイデン大統領がアメリカ全土にわたる完全ロックダウンの宣言をするに違いないと主張した。ワトキンスは、それに加えてコロナウイルス関連のディスインフォーメーション（偽情報）工作が大規模レベルで展開されると〝予言〟していた。

今もとどまるところを知らないFEMA関連陰謀論のバラエティーは、**コロナウイルスに関するもの**（P.013、046参照）から**5G対応の中継局／アンテナに関するもの**（P.102参照）まで、実にカラフルだ。FEMAは今や、陰謀論の枠組みの中ではNWOに次ぐキャッチーなワードとなっている。

FEMAは1979年に設立された連邦組織で、これまで100以上の政府主導プログラムを実行に移してきた。大規模な洪水やハリケーン、竜巻などによる被害を伝えるニュースで必ず耳にする名前だ。しかし、そのマンパワーの大部分が本来の目的以外に向けられた事実を知る人は少ないとされている。年間予算の大部分と、60％に上るマンパワーがいわゆるブラック・プロジェクトに回されているという話も伝えられている。ＦＥＭＡの本当の目的および予算の規模は、20人余りの下院議員しか知らない。陰謀論支持者が何よりも好む秘密結社的な性質に満ちた政府機関なのだ。

設立当時から、運営はうまくいっていたとは言えないようだ。組織の中核となるべきグループの指導力不足、政治家との深いしがらみ、プライオリティ感覚の欠如で方向性があやふやになってしまった。レーガン政権では、こんな意見が出されたことがある。

「あまりにも多くの使命があるにもかかわらず、スタッフの絶対数が極端に少ない。ＦＥＭＡという組織自体がミッション・インポッシブルの状態にある」

しかし今日、ＦＥＭＡは設立当初では考えられないほどのパワーを得ている。少なくとも、陰謀論の枠組みの中ではそういうコンセンサスができあがっている。そして陰謀論者たちが恐れているのは、ＦＥＭＡが政治的マイノリティあるいは反体制的な思想の人々の強制収容所ネットワークをアメリカ中に建設することにほかならない。この話は、トランプ政権時に建設された国境の壁によって勢いを増した感が否めない。

最初は不法移民を収容する施設として使われるという話だったはずなのだが、いつの間にか反体制主義者に特化した強制収容所という話になってしまった。陰謀論者にすれば、これは目の前にある脅威にほかならない。陰謀論は究極の反体制的思想ということもできるからだ。

時を同じくして、オレゴン州ジャクソン郡にある催物会場に大量のキャンピングカーが集められるという出来事があった。この時はいよいよ不法移民のための強制収容所建設が始まったという話になったのだが、FEMAの答えは「オレゴン州で頻発する山火事の被害者のためのシェルター建設」だった。いわゆるコモンセンスの範囲内で生きている人たちにとってはこの説明で十分だったのだろうが、陰謀論者からすれば、長いスパンで行われるに違いない〝反体制思想者収容プログラム〟の始まりとしか感じられなかった。

実際、この事件を機にFEMAに対する疑念を抱き始めた人もいるようだ。人の心は、何かのきっかけでぐっと陰謀論寄りに振れるのかもしれない。ただ、何がスイッチになるのかはわからない。そして、陰謀論を強く否定していた人ほど、一度ハマるとハードビリーバー化する傾向がある。

いまだ消滅することのない911陰謀論

２００１年９月のあの夜、筆者はジムから帰って来て、いつものようにテレビをつけた。次の瞬間画面に映し出されたのは、しばしば世界の中心と形容されるニューヨークシティのランドマークであるツインタワーから真っ黒な煙が上がっている映像だった。わけがわからないままライター仲間や各社担当編集さんに電話を入れて話をして、〝第3次世界大戦〟の最初の攻撃ではないかということで意見が一致した。

幸いにも第3次世界大戦は勃発しなかったわけだが、後に大規模テロの代名詞として使われるようになる〝９１１〟＝アメリカ同時多発テロ事件は、あらゆる方向性の陰謀論の源と化した。

最初の陰謀論は、ツインタワー倒壊後わずか数時間のうちに拡散し始めた。アメリカ本土、しかもニューヨークで起きた大規模テロのインパクトがまだ収まりきらないうちに生まれた数えきれないほどの陰謀論を信じる人々は、背後にあった事実が公表されていないと主張し続けている。そして陰謀論自体は、時間の経過と共に新しい要素を盛り込みながら進化・増殖し続けている。陰謀論陣営から見れば、こうしたプロセスは当然のことながら真実を解明していくために必要な段取りにほかならない。

新しい要素に関して言えば、他の項目でも触れているが、Ｑアノンやディープステートといったキーワードが目立つ状態になっている。911の発生時点ではその存在は知られていなかったが、すべてはディープステートの悪魔的な計画だったという解釈も、ごく一部の人々には受け入れられているようだ。

さらに言うなら、ネット上であふれるほど公開されている映像・画像が陰謀論の燃料になっている。〝決定的証拠映像〟といった見出しで多くのヒットを集めるサイトもあり、果てはアメリカ政府が事件発生の可能性を十分察知していたにも関わらず、あえて無視したという解釈まである程度以上の支持を受けているのが実情だ。

911陰謀論には、SNSを中心に浸透している〝世界政府〟的な存在による一般市民の支配体制の確立という図式を基にした主張が根強い。グローバルエリート、カバル、あるいは**ニューワールド・オーダー**（P．178参照）、そして**ワンワールド・オーダー**（P．062参照）とさまざまな呼び名があって、陰謀論の枠組みの中ではこうした組織の存在が既成事実となっているが、もちろん確認はされていない。実在するとしても、それを確認する術はない。

アメリカ政府がテロの発生を黙認したというところから、テロの張本人がアメリカ政府だったという方向性に寄っていく話の流れが強まった。極端な例を挙げれば、ペンタゴンへの攻撃は航空機ではなく、ミサイルだったという話も出ている。証拠として挙げられているのは、建物に残された爆発の痕跡が航空機によって残されたものとしては小さすぎたという事実だ。さまざまな可能性を探るプロセスを得て、結果的にミサイルによる直撃だったという話に落ち着いたようなのだが、これは結果的にさらにセンセーショナルな響きを発することになった。

周辺情報的な逸話も、きわめて短い時間枠の中で驚異的な拡散を見せた。代表的なものを挙げておく。ツインタワーには約4000人のユダヤ系労働者が働いているが、事件当日は一人も出勤していなかったという話があった。さらに一歩踏み込んだバージョンでは、こうした人々は前日に職場で「明日は自宅待機」と知らされたり、事件当日の朝までに出勤を控えるよう伝えるメールを受け取ったりしていたというのだ。

911はなぜ起きたのか。極端な例を挙げておく。すべてを計画したのはイスラエル政府である。目的は、アメリカ政府を煽ってアラブ地域に点在するイスラエルにとっての敵を攻撃させることにあった。その中核にいるのは、イスラエル政府を裏で動かすエリートグループだ。そして、このグループに協力する一部の人間がアメリカ政府の中にいた。

また2002年に広まった話では、アメリカ政府が当事者であるとするところは変わらないのだが、イラクの元大統領サダム・フセインと汎イスラム主義のテロリスト集団アルカイダとの間に密約を結んでいたという要素が盛り込まれている。陰謀論はさまざまな要素を盛り込んでありとあらゆる方向に増殖していくのが常なのだが、911がらみの陰謀論ほど実際の地政学的要因で満ちているものは珍しい。アメリカ政府・イラク政府・アルカイダという構図についての話が生まれたのは、1992年にアルカイダの上層部メンバーがイラク軍の情報将校と密かに会談を行ったという噂が理由となっている。それまではあまりにも現実離れした内容だったので信ぴょう性は今ひとつだったのだが、911発生後に一気に勢いを増して流布した。

事件そのものが起きたのは今から20年以上前だが、陰謀論が語られなかった時代はなかったし、前述の通り、ディープステートという新しい陰謀論ワードを盛り込みながら、さらに別方向への増殖を見せている。忘れようがないほどのインパクトを世界中に与えた事件にまつわる陰謀論は、勢いを増しこそすれ消滅することなどありえないのだ。

ウクライナ侵攻の裏側にあるもの

2022年に起きた出来事とは、今でも思えない。本書の執筆時点で、ロシアによるウクライナ侵攻が始まってから1年半が経過している。筆者は、ウクライナ侵攻に関する陰謀論は他の陰謀論と構造的に違うことを感じている。単なる陰謀論ではなく、**偽旗作戦**（P.164参照）であるとか、ディープフェイク動画であるとか、別の章で詳しく触れる**クライシスアクター**（P.162参照）とか、複雑な要素が階層的に積み重なっているからだ。従来の陰謀論の進化と拡散もSNSで驚異的にスピードアップしたことに疑いはないが、それにさらに新しい要素が加えられた形になっていることが感じられる。

ロシアによる侵攻が始まってからちょうど1年を経過したあたりから、さまざまな偽情報があふれかえる状況になっている。ロシア側の戦況報告の衛星画像・映像にフェイク要素が盛り込まれていることが取りざたされたり、ロシア・ウクライナ双方に対してクライシスアクターを使ったフェイクニュース映像制作疑惑が生まれたり、かつてプーチン大統領のサポーターだったオリガルヒと呼ばれるロシアのニューリッチ層の動向に関する噂が流れたり、真実と虚実の境界線がわからなくなっている。

Twitter 時代はフェイク画像・映像にスクリーニングがかけられていたが、イーロン・マスク氏が Twitter を買収してXとなった今は、かつてバンされていた映像や画像がそのまま公開され、それが新たな混乱を招いているという見方もある。

2023年2月には、ウクライナ侵攻自体が巨大な〝やらせ〟なのではないかという説が支持される流れまで生まれた。アメリカで有名な右翼系の陰謀論サイトでは、この判断の指標として、前線から発信される映像が圧倒的に少なくなった事実を挙げている。もっとも、陰謀論的目線で言うなら、これまで発表されてきたほぼすべての映像や画像がフェイクニュースだったことになるのだが。

インフルエンサーたちも、口を揃えて〝最新映像のアップ頻度の低さ〟を強調している。こうしたトレンドに対し、アメリカの元国家安全保障アドバイザー、マイケル・フリン氏は「疑念を完全否定できる人はいないだろう」とコメントしている。

小さな例を挙げ始めたらきりがない。ゼレンスキー大統領に会うためキーウを訪れたバイデン大統領が大統領府の建物内を歩くところをとらえた写真には、なぜかゼレンスキー大統領が二人写っていた。影武者がうっかり写ってしまったらしい。

ゼレンスキー大統領に関して言えば、首から下がまったく動かない演説映像が拡散したこともある。仕上がりがあまりにも悪かったため、これは悪意を持って捏造されたものであるという判断がすぐに下されたが、それ以降発表された映像の中にディープフェイク由来のものは絶対になかったと証明することはできない。

また、ロシア・ウクライナ双方にクライシスアクターを使ったやらせ映像疑惑が向けられている。マリウポリの産科・小児科病院が爆撃された際に日本でもある程度知られていたインフルエンサーの女性が〝一人二役〟で出演していたとか、ロシア側が発表したビデオでは、以前漁業従事者としてニュース映像に登場した女性が最前線基地の兵士として勲章を受け取る場面が紹介されていたとか、さまざまな話がある。

そういえば、ウクライナから公表された映像には収容袋に収められた遺体が動くという決定的な瞬間がとらえられたものもあった。こうなると、実際に自分の目で確かめられるものであるはずの画像や映像にも絶対的な説得力はないことになる。

そもそも今回の侵攻作戦は、プーチン大統領側から言えばウクライナの非ナチス主義化が最も大きな目的だった。ところが、両国の歴史や関係を熟知しているわけではないわれわれ日本人は、すでにここで大きな違和感を覚えた。ナチス勢力に蹂躙されている〝大部分〟のウクライナ国民を解放するための解放戦であって、決して侵攻ではないというロジックにも共感はできなかったはずだ。

ただ、敵にナチスというレッテルを貼ってしまえば、印象はまったく変わるはずだ。

それに、ウクライナが過去も現在もナチス主義勢力がらみの問題を抱えているのは事実だ。ナチス勢力の駆逐を目的に解放戦を展開しているというプーチン大統領だが、ウクライナ国内のユダヤ系コミュニティに対しても同じように攻撃を加えている。この事実が明らかになったところで矛盾が生じ、姿勢はブレてしまっているのだが、ウクライナ国内に反ユダヤ主義がいまだに根強く残っている事実も見逃せない。

ここで陰謀論は別方向にターンする。元を辿ればユダヤ系であるオリガルヒに詰められる状態になって、仕方なくナチス勢力からの〝解放〟という名目で侵攻に打って出たが、ユダヤ系コミュニティまで攻撃してしまったことで、プーチン大統領は一気にオリガルヒからの支持を失ってしまった。今や両者の間には決定的な溝があり、オリガルヒの息がかかったグループがロシア国内の不満分子を集めて、クーデターを画策している。ウクライナ侵攻にまつわる陰謀論は、現時点ではそういう方向性で進んでいる。そんな中で台頭し始めているのが、ウクライナによるロシア併合で、オリガルヒがグリップを利かせることができる政治家が大量に台頭するというシナリオだ。陰謀論のスコープは、どこまでも広がっていく。

ダイアナ妃死亡事故の真実

イングリッシュ・ローズ――彼女ほど愛されたプリンセスはいなかったはずだ。イギリス王室の存在をぐっと身近に感じるきっかけになってくれたダイアナ・プリンセス・オブ・ウェールズの死は、世界中の人々に深い悲しみを与えた。それと同時に、亡くなった時の状況にあまりにも不審な点が多すぎたため、忘れようとしても忘れられない人がいるのも事実だろう。

ダイアナ元妃は不幸な自動車事故で亡くなった――そんな話を信じる陰謀論者はいない。事件に関しては、発生後9年目にロンドン警視庁による「オペレーション・パジェット」という作戦が立ち上げられ、徹底的な検討が行われた。

1997年8月31日午前0時22分、パリに滞在中のダイアナ元妃は当時交際していたドディ・アルファイド氏と同乗した車で、時速約100キロでアルマ・アンダーパスを走行中にコンクリートの支柱に激突した。現場に急行した救急医療関係者は、重傷を負ってはいるものの、ダイアナ元妃は一命をとりとめると感じたようだ。しかし病院に搬送後、午前4時に息を引き取った。

衝突事故に関する陰謀論が絶えたことはない。そしてこれは他の陰謀論にも言えることだが、最近では特にTikTokをはじめとする映像型SNSを舞台に、これまで以上にビジュアル要素を盛り込みながら進化を続けている。ダイアナ元妃はフィリップ殿下とMI5（イギリス情報局保安部：国内オペレーション担当）が立案した暗殺計画の下に殺害された。そんな話も独り歩きしている。

オペレーション・パジェットが事実としたのは、メルセデスのドライバーが複数のパパラッチに追跡され、ハンドル操作を誤ってコンクリートの支柱に激突したという状況だ。これが公式の結論として一般的には受け入れられている。しかし、陰謀論の枠組みの中ではまったく異なる方向性の話が渦巻いているのが現状だ。

ダイアナ元妃が交際していたドディ・アルファイド氏は、イギリスの有名デパート「ハロッズ」のオーナーだったエジプトの富豪モハメド・アルファイドの息子である。当時、二人の結婚は秒読みといわれており、ダイアナ元妃がすでに妊娠しているという噂も事実に近いニュアンスで報じられていた。これを快く思わなかったのがイギリス王室だ。将来のイギリス国王の母親が異教徒と結婚するなどありえない。

MI6（イギリス情報局秘密情報部：国外オペレーション担当）が関与しているという噂――ということは、MI5も含めてイギリス情報局が全面的にダイアナ元妃暗殺事件に関与していたことになる――が立ったことを受け、陰謀論者はアメリカ政府の関与まで疑い始める。ＣＩＡ（中央情報局）とＮＳＡ（アメリカ国家安全保障局）がダイアナ元妃の電話を盗聴し、39もの極秘ファイルを作成していたというのだ。ＣＩＡは後になって１０５４ページ分の情報を持っていた事実を明らかにしたが、これは事故とはまったく無関係だとしている。ＮＳＡも電話の盗聴を認めたが、これは１回だけで、相手はブラジル大使夫人だった。しかし、ＣＩＡが資料を持っていたこととＮＳＡが盗聴を認めたことが極大化され、陰謀論の一部となって大きく膨らんだ。

ダイアナ元妃とアルファイド氏のボディーガードを務めていたのは、トレバー・リース・ジョーンズという男性で、事故でたった一人助かっている。息子を亡くしたモハメド・アルファイド氏は、ジョーンズがすべてを知った上で何の措置も取らなかったと主張している。事故の発生前のいずれかの時点で脅迫され、何も話さないことを約束させられたというのだ。

内部犯行という意味では、車を運転していたアンリ・ポールが犯人だったという説もある。ポールはアルファイド家に長年仕えていた人物で、一家が所有するリッツ・ホテルの保安担当主任を務めていた。ＭＩ６から接触を受けたポールは、さまざまな方法でダイアナ元妃とアルファイド氏を暗殺するよう説得された。大金をつかまされたか、あるいは家族に危険が及ぶ可能性を示唆されたのだろう。MＩ6の元諜報員だったリチャード・トムリンソンという人物がポールに関する個人情報を記したファイルを見たことを語り、情報源として使える人物と目されていた事実についても触れている。

事件発生当夜、ポールは数時間にわたって所在不明になっていたことも明らかになり、犯人説の信ぴょう性がぐっと高まった。それだけではない。ポールの当時の年収は3万5千ドルだったが、事故で亡くなった時の預金残高は25万ドルだった。フランスの法廷に立ったトムリンソンは、資金はMＩ6から出ていたに間違いないと証言している。

ダイアナ妃死亡事故に関する集約的な調査プロジェクトは、オペレーション・パジェット以来行われていない。一部の陰謀論者が言うようにイギリス王室が関わっていたのなら、元夫であるチャールズ国王が調査の再開を命じる可能性はきわめて低い。

ロンドンから2時間ほど北に行ったノーサンプトン近郊に、ダイアナ元妃の実家であるスペンサー伯爵家の邸宅がある。この邸宅に隣接して建っているのが、ダイアナ元妃が眠るセントメアリー教会だ。チャールズ国王の戴冠式は、２０２３年5月6日に執り行われた。隣にいたのは、日本の女性週刊誌でも有名だったカミラ王妃だ。不慮の事故で亡くなったイギリスのバラは、何を想うのだろうか。

ラハイナの街を焼き尽くした最新テクノロジー兵器

2023年8月、ハワイ州マウイ島の美しい街ラハイナをアメリカ史上最悪級の山火事が襲い、8割の建造物が焼失してしまった。訪れたことがある人は、灰色一色に染まった海岸線の映像を見て言葉を失ったに違いない。

最近、山火事が多すぎると感じているのは筆者だけではないはずだ。2023年6月にはカナダ東部で発生した大規模な山火事の煙がニューヨークまでたなびき、太陽がオレンジ色に見えるほどマンハッタンの空を濁らせた。

ヨーロッパでは7月にギリシャのロードス島で山火事が発生し、観光客など2000人以上が避難する事態が起きた。南米に目を転じると、2月にチリで200件以上の山火事が頻発し、まさに異常事態という形容がふさわしい状況を呈した。

国連のグテーレス事務総長がスピーチの中で「地球温暖化の時代は終わり、地球沸騰化の時代が来た」と語った通り、世界は異常レベルの熱波に包まれているようだ。そんな中、陰謀論者たちは世界各地で同時多発的に起きる山火事にも注目している。

発生1週間後のニュースでは、ラハイナ大火の原因は強風で切断された電線が真下にあった渇いた灌木の茂みに触れ、そこから火が出て、強風にあおられて一気に燃え広がったといわれている。陰謀論者たちはまず、テレビで何回も放送されネット上で再生された現場の映像に着眼した。なぜか。撮影現場のマカワオはマウイ島中央部にあり、壊滅的な被害を受けたラハイナとはかなり離れている。アメリカの3大ネットワークで放送されるニュースは、どの番組も「山で起きた火が風にあおられ、海に向かって燃え広がった」と伝えているが、この表現が正しいのなら、マカワオとラハイナの間を進んだはずの炎の痕跡が認められないのはおかしい。そんな主張も目立つ。

きわめて不自然な焼け跡が残ったマウイ島の山火事は、瞬く間に最新陰謀論の的となった。そして、比較的早く決定的な結論が示された。原因は地球温暖化でも沸騰化でもない。連邦政府によるＤＥＷ（Directed Energy Weapon＝方向性エネルギー兵器）だというのだ。このキャッチーな響きの新ワードに飛びつく陰謀論者は少なくなかった。そして、新型兵器によるビーム照射の画像や映像が拡散するまで大した時間はかからなかった。

山火事の原因が自然発火や切れた電線によるものなら、この光は何なのか。そんなキャプションが付けられた画像や映像があふれかえった。また、火事の直前に撮影されたという雲の間に現れる奇妙な光を撮影した映像もかなりの数がアップされている。

アメリカ会計監査院によれば、ＤＥＷとは「電磁波エネルギーを集中させて照射されるビーム、あるいは高エネルギーレーザー光線」と定義されている。国防総省は、ミサイルや大型攻撃ドローンの迎撃態勢確立のためこの種の兵器の開発に年額10億ドル以上を費やしてきたが、実用化しているのは実験施設内に限られた環境であり、実際の配備にはかなりの制約があると発表している。

当然のことながら、ラハイナ大火はＤＥＷの実験だったという説が拡散している。しかし、連邦政府が〝犯人〟なら、なぜ自国の人気観光都市がターゲットとなったのか。それは、ハワイ州のジョッシュ・グリーン知事がラハイナの〝スマートシティ構想〟について公の場で語ったとされていることだ。

山火事を理由にしてラハイナの街を一度リセットし、スマートシティ化を一気に進めようという連邦政府側の思惑が見え隠れしているという。スマートシティというのは、都市機能のほとんどがＡＩによって管理される街だ。こうした計画を一刻も早く実現させるため、ラハイナを作り変える必要があった。

実は、こうした話が生まれる背景的な条件は十分すぎるほど整っていたのが事実だ。まず、２０２３年1月に開催されたシステムサイエンス国際会議である。ただしこの会議のテーマはマウイ島のスマートアイランド化ではなく、世界規模での情報テクノロジーの問題点を明らかにし、解決に向けての討議を行うことだった。

さらに、2023年9月にはハワイ・デジタル・ガバメント・サミットというイベントが行われることになっていた。ただし、この会議のテーマもAIの使用に特化したものではない。しかも会場はマウイ島ではなく、オアフ島だ。

エネルギービームを照射したのは中国の衛星だったという説も広まっている。2023年1月28日、ハワイ州上空を緑色のレーザー光が走るという現象が確認された。当初はNASAの衛星から発せられたものと考えられていたが、後の調査によって中国の衛星の関与が明らかになった。中国のDaqi-1/AEMS衛星は、何が目的でレーザーを照射したのか。事実が明らかになった時点から何らかのマッピングが目的だったのではないかという話があったが、ラハイナ大火を受け、攻撃目標の座標の算出を行っていたのではないかという話が生まれた。

ラハイナ大火の動揺が収まらない中、今度はカナダ北西部とスペインのカナリア諸島でも火事が発生している。世界中で発生している大規模火災の原因は、地球温暖化の結果としてもたらされた地球沸騰化状態なのか。それとも、一般人が決して知ることのない最新テクノロジーなのだろうか。

MH370便には誰が乗り、何が載せられていたのか

航空機事故の歴史にも不審なケースがいくつもあるが、その代表格といえるのがMH370便事件ではないだろうか。事件発生後9年が経過した今も、深い謎に包まれたままの状態だ。2014年3月8日、クアラルンプールから北京に向けて飛び立ち、乗員乗客239人を乗せたまま行方不明状態になっているMH370便に何が起こったのか。ヒントさえ得られていないのが事実だ。この事件に関しては、Netflixでドキュメンタリー番組が制作され放映されたのだが、陰謀論を盛り込みながら〝攻めた〟シナリオで展開されるため、話題になった。

事件当日のフライトは、ルーティーンと形容していいほどシンプルな内容だったようだ。予定飛行時間は5時間34分。離陸後北上してベトナムの沿岸部を通り、南シナ海を経て中国領内に入るという飛行ルート上には、特に難所もない。

しかし、MH370便が着陸することはなかった。インド洋上を飛行している時は、インマルサット衛星（通信衛星による移動体通信を提供するシステム）が機影をとらえていた。しかしこの時点で、特に飛行ルートに関して何らかの異常が生じていたようだ。

2017年までにインド洋で合計20個の航空機部品・破片が見つかっているが、マレーシアの運輸省がMH370便の機体の一部として認めたのはわずか1個だけだ。

現時点で言えるのは、機影がインド洋上で消えたこと、そして少なくとも1個の部品がインド洋上に落ちていたということだ。論理的に考えれば、物証はまったくないものの、何らかの理由でインド洋に墜落あるいは着水したという可能性が一番高い。

そこで、さまざまな陰謀論的解釈が噴出することになる。ここでいくつか紹介する。

●アメリカ軍／タイ軍による撃墜

イギリスのノンフィクション作家ナイジェル・コウソーンは、MH370便がアメリカ軍とタイ軍の合同演習中に戦闘機によって撃墜されたという説を唱えている。確かに、多国籍の軍が同時に演習を行うことは珍しくはない。ただ、大規模軍事演習が行われている空域に民間機が立ち入ってしまうことなどあるだろうか。

だが、何らかの理由で民間機が軍用機に撃墜されるというケースもあり得ないとは言い難い。1983年には大韓航空007便がソ連空軍機に撃墜されているし、1988年にはアメリカ海軍所属の巡洋艦がイランの航空機を撃墜している。マレーシア航空は、2014年7月にもウクライナ東部上空を飛行していたMH17便が撃墜されている。アメリカ軍とタイ軍が共謀して民間機の誤撃墜事件を隠し通すという話は信じがたいが、陰謀論陣営でも政府レベルの機関が介在する事件に関しては、事実の証明は不可能に近いとされている。

●パキスタンのテロリストグループによる犯行

アメリカ陸軍の元中将トーマス・マキナニー氏は、行方不明になった機体はタリバンの支配下のパキスタンに向かったのではないかという見解を示して注目を集めた。理由は、対アメリカ工作の道具に使うためであったという。機体を手に入れたタリバンはパキスタン政府との交渉の開始を試みて、すぐに反応しなければ〝機体奪取事件〟をパキスタン政府との共謀という形で世界に発信すると脅しをかけた。マキナニー氏はさらに、MH370便の機体が大量殺りく兵器の輸送、空母に対する攻撃、あるいはイスラエルへの直接攻撃に使われるというオプションがあったと語った。911を考えればありえないシナリオではない。そして、現時点ではわからないが、機体が一時パキスタン国内にあったことになる。

●中国海軍の潜水艦

イギリスの法廷弁護士マイケル・シュリンプトンは、南シナ海を航行中の中国の潜水艦から発射されたミサイルによってMH370便が撃墜されたという説を唱えている。中国政府がマークしている人物がこの便に搭乗しており、この人物の暗殺作戦を実行した結果墜落事件が起きたという流れだ。ただしシュリンプトン自身も誰が暗殺対象だったのかまでは突き止めていない。

●フリースケール社関係者の拉致

MH370便には、アメリカのハイテク企業フリースケール・セミコンダクター社の関係者20人が搭乗してした。社名の通り半導体の製造に関わっている企業だ。この会社はさまざまな分野に半導体を卸しており、特に強みにしていたのが軍事産業だった。MH307便に乗っていた20人の従業員の内訳はマレーシア人が12人、中国人従業員が8人だ。彼らは、会社の極秘情報を持っていた。これが中国の手に落ちる可能性を案じたアメリカ政府がハイジャックを画策し、アメリカ軍の基地があるディエゴ・ガルシア島に着陸させた。アメリカ政府が主導すれば、フライト情報の改ざんなど簡単だ。

MH370便の墜落を絶対的に決定づける要素はほとんどない。グーグルアースで、海中に沈んだ旅客機の機体がぼうっと写っている画像がアップされたこともあるが、こちらに関しても結論は出されていない。MH370便の機体は、今もどこかで、発見されることをひっそりと待っているのだろう。

湾岸戦争と大規模マインドコントロール

現在進行形の戦争がリアルタイムで、かつかなり細かいところまでテレビ画面に映し出される。湾岸戦争は、それまでの戦争というものの概念を根本から変えた出来事だったといえるはずだ。アメリカ軍の戦艦からパトリオットミサイルが発射される様子や、バグダッド市街地に対する空爆の光景など、リビングルームに置いたテレビを通してごく普通の市民がモニターすることができたのだ。

この項目では、湾岸戦争にまつわる数多い陰謀論の中から、中核といっていい部分に直接関係する二つの話を紹介していく。

まずは、〝サイレント・サウンド〟だ。複数の陰謀論サイトで、1990年代の終わりあたりからこの言葉が目立ち始めるようになった。ちょうどこの頃、アメリカ軍が開発したマインドコントロール兵器が、実験も兼ねて湾岸戦争で実践投入されたという話が浮上していた。

このテクノロジーは、脳波のパターンを意図的に変えることを目的として開発されたもので、恐れや懸念、悲嘆、絶望などの負の感情を人工的に生み出す方法だ。

サイレント・サウンド関連の陰謀論では、戦闘に参加したイラク兵が次々と降伏したという事実が第一の要因として挙げられている。恐怖政治で知られるフセイン大統領に背くという決断には、それなり以上の覚悟が必要なはずだ。自分の行いの代償が遠い親戚にまで及ぶことは想像に難くない。それなのに、あえて降伏に出た者が大量にいた理由が、サイレント・サウンドによるマインドコントロールだったという。

イラク軍の命令系統は、「砂漠の嵐作戦」の開始後それほど経過しないうちに崩壊状態を迎えた。軍専用の情報共有ネットワークも機能しなくなり、仕方なく携帯FM電波発受信機を使って作戦行動に関する暗号情報がやり取りされるようになった。アメリカ軍の心理作戦部隊がこうした状況を見逃すはずはない。地上作戦によってゴーストタウンと化したアル・カフジという町にイラク軍の放送の出力を上回るレベルのFM送信機を設置してサイレント・サウンドを発信した。

システム全体の正式名称はサイレント・サウンド・スプレッド・スペクトラム（サイレント・サウンド拡散領域）という。非聴覚域の超高周波・超低周波を発振し、標的の脳内に誘因を生じさせる。湾岸戦争で使われた理由は、アメリカ軍がより大きなスケールでこのシステムを実用化するための実験だった。そしてこの実験は大成功に終わり、アメリカ軍は予想よりもはるかに大きな成果を得ることができた。

しかし、よいことばかりではなかった。帰還兵の中に、〝ガルフ・ウォー・シンドローム〟＝湾岸戦争後遺症と呼ばれる精神疾患の症状を呈する者が続出してしまった。症状としては慢性的な疲労感、頭痛、関節の痛み、不眠症、めまいなどが目立った。

こうした共通の症状を解き明かそうとする検証が繰り返し行われたが、陰謀論陣営にとっては、サイレント・サウンドの悪影響であることは最初から明らかだった。イラク兵に向けて使われた兵器の影響がアメリカ兵にも出てしまったのだ。

サイレント・サウンドは、第7章で触れるいわゆる**ノン・リーサル・ウェポン＝非殺傷兵器**（P．200参照）の中核を成すテクノロジーであるともいわれていた。そしてこのテクノロジーに関する研究開発の歴史は決して短くない。さらには、こちらも同じ章で触れるHAARPテクノロジーと組み合わせて実用化されていったといわれている大規模マインドコントロール・システムの構築にも深く関わっている。一部の人々が形容するように、戦争というのは最新軍事テクノロジーの発表の場であるのかもしれない。

ここまで話が進むと、今度はアメリカ軍兵士に対しても意図的に生体実験が行われていたのではないかという疑念が生まれるようになった。一見無理筋な解釈だが、こうしたことが起きた背景に関するきちんとした説明も準備されている。

1970年代、アメリカ政府は中東一帯の覇権を握るためにイラク侵攻シナリオを立案した。タイミングを見ながら準備を進め、1990年になってペンタゴンがクウェートの王族に接触し、フセイン大統領がクウェート侵攻に踏み切るような政治状況を意図的に創出するようもちかけた。こうすれば、クウェート侵攻という〝暴挙〟に出たイラクに対して正当な攻撃を仕掛けることができるようになる。そして戦敗国となったイラクの原油利権をクウェートとアメリカで管理していく体制を構築する。

陰謀論者も、ただヒステリックに騒ぎ立てるだけではない。地政学的・歴史的な要素も盛り込んで、響きの良い解釈を打ち出す。こうした解釈がすべて間違っていると断言できる人はいないだろう。

事実と陰謀論の間には曖昧な境界線と対決構造が数限りなく存在する。湾岸戦争に限ったことではないのだが、さまざまある情報を取捨選択していくことが最も大切だ。ただし、事実をフラットに見るためには、バイアスめいたものを可能な限り排除することが必要だ。だからこそ、かなり逆説的な響きになってしまうのだが、事実と虚実の境界線を確認する意味でも、陰謀論というきつめの要因をあえて盛り込んで考えていくのも間違いではないと思うのだ。

タイムトラベラー出現とサブリミナル効果

Column 03

ジョン・タイターは、2000年11月から翌年3月というきわめて限られたスパンの中、サイバースペースで一気に名を知られることになった〝2036年から来たタイムトラベラー〟だ。主戦場はアメリカのSNSプラットフォームだったが、すぐに国際的に知られる存在になった。

未来からやってきた人物がさまざまな〝予言〟―タイターにとっては実体験にすぎないので、厳密な意味で予言とは言えない―を文字の形で示すという方法論はかなり目新しく、多くの人がハマった。タイターが最後のポストを行ってから約2年後の2003年、多くのサイトがトリビュート的に『タイター語録』のようなニュアンスの読み物を作り、さらに知られるようになったという経緯がある。

そして最近は、TikTokやInstagramでビジュアルな形の未来の風景がアップされることが多くなった。さらに、YouTubeでも自分がタイムトラベラーであることを証明する方向性の動画のアップが続いた時期がある。

このように、ひとつのジャンルとして確立したタイムトラベラーの概念を根付かせたジョン・タイターこそが特殊なジャンルの陰謀論のさきがけだったとする話がある。

確かに、文字だけで未来を語っていたジョン・タイターが突如として姿を消してから、タイムトラベラーは画像や映像というビジュアルな形で情報を提供することが圧倒的に多くなった。そして最近の画像や映像は、サブリミナル効果を盛り込んだものばかりであるという主張もある。タイムトラベラーというキャッチーな言葉で検索される件数が多くなるようにしておいて、サブリミナル効果を盛り込んだ画像や映像が検索にかかりやすいようにする。つまり、ジョン・タイターによる書き込みはその後の画像・映像トレンドの下地を作るための計画だったというのだ。

1938年に撮影された〝スマホで会話している〟若い女性。タイムトンネルを通って70歳の自分と会い、ハグし合う中年男性。面白がって見ている場合ではないのかもしれない。ダークなサブリミナル効果が仕込まれている可能性も否めないのだ。あからさまなサブリミナル効果であっても、タイムトラベラーというストーリーに乗せることで心理的ハードルがぐっと低くなり、拡散しやすくなる。

【第四章】

一般人が巻き込まれる陰謀論

5G通信網とコロナウイルスの蔓延

スマートフォンも5Gスタンダード時代を迎えた。まだアナログだった1980年代の携帯電話第1世代からデジタル化を迎えた2010年代の第3世代までとそれ以降の進化と共に、通信速度は爆発的に上がった。それと同じペースで、そして通信網の各世代で、さまざまな陰謀論が語られていた。パンデミックのさなかの2020年、コロナウイルスそのものの抑え込みは困難を極めたが、ロックダウンという未曽有の状況の中で増殖し拡散する都市伝説的な話や陰謀論もまた広がっていくばかりだった。

当然のことかもしれないが、コロナウイルスと5Gを関連付ける内容が多かった。〝世界政府〟のエリートたちが5G通信網を利用してコロナのパンデミックを促進しているという陰謀論がダイレクトに響いた最初のグループはいわゆるニューエイジャー（スピリチュアリティに傾倒する人たち）と、アメリカでは別項目（P．024参照）で詳しく触れているQアノン運動支持者たちだったようだ。

イギリスでは市中に設置されている通信タワーが襲撃されるという事件が起きた。ハリウッドスターやミュージシャンにも5G／コロナウイルス拡散陰謀論を深く信じ、広めてしまう役割を担ってしまった人たちが少なくない。

5Gネットワーク陰謀論はそもそも、最先端の通信インフラを整えることができない地域でコロナの罹患率が高まり、その死亡率が上がることによって世界レベルでの人口制限が進んでいくという方向性の話だった。しかしそれがいつのまにか5Gネットワークがウイルスの蔓延に使われているという内容の話に変わっていった。現代人にとって初の体験だったパンデミックのパニックの中で、陰謀論も行き先を失っていたということなのだろうか。

しかし、理不尽だったはずの話が勢いをつけて走り出し、いつの間にか5G＝パンデミックという図式が確定した。そしてピークアウトを迎えた今、新しい変異株による新しいパンデミックが起きるのは時間の問題だという内容の話が核となって拡散しているようだ。

5Gとコロナウイルスを紐づけられる要素があるとすれば、タイミングしかない。5G通信網の敷設が本格的に始まったのは2018年で、広く知られるようになったのは2019年だ。武漢で初のコロナウイルス感染例が確認されたのも、ちょうどこの頃だった。アメリカでの感染傾向を示す地図と5Gネットワークの敷設の進捗度を示す地図を並べ、これを論拠として両者の関係性が強調されるケースもあった。しかしこれは、双方ともに人口が集中する大都市圏なら当たり前の話だ。ところが、陰謀論は内容が理不尽で得体《えたい》が知れないものほど拡散のパワーがつくようだ。

もうひとつ、挙げておきたい要素がある。5Gネットワーク／コロナウイルス陰謀論を唱えたり、信じたりする人たちのグループは、携帯電話が発する電波が白血病やがんを引き起こすという話にも高い興味を示していたことが明らかになった。ちょっと信じがたいロジックで広まった陰謀論なのだが、主流派マスコミにまで広がっていった。そのプロセスを見てみよう。

多くのリサーチャーが挙げるのは、フランスでは有名な『Les moutons enragés』という陰謀論サイトだ。2020年1月20日の書き込みに、武漢で5Gネットワークの通信塔が多数敷設されている様子が記されていた事実だ。これが5Gとコロナウイルスを紐づけた陰謀論の発火点になった可能性は否めない。この3カ月後、ヨーロッパの国々で同じ内容の話が拡散し始めた。

「ニュースガード」というインターネットツールを通して行われた分析では、『Les moutons enragés』の書き込みがアップされた2日後に、ベルギーの『Het Laatste Nieuws』という新聞にとある医師のインタビュー記事が掲載された。この記事で、医師が「2019年に武漢で敷設が急激に増えた5G通信網とコロナウイルスの感染分布には相関関係があるかもしれない」という私的な意見を述べていたことが明らかになった。前述の通り、高速通信ネットワークは時代時代の特定の症状や病気に紐づける形で語られることが多かった。5Gに関しても同じことが言える。そして、信じられないタイミングでコロナウイルスの蔓延がシンクロした。

この種の話は、陰謀論という枠の内側で語られる限り、いかなる〝あり得なさそうな〟組み合わせも昇華させていくことが可能であることを証明してしまったような気がしてならない。

さらに進んだバージョンでは、体内に入ったまま不活性の状態になっているウイルスが5G通信網から発せられる電波で活性化するという内容が語られている。また、コロナウイルスの蔓延は、世界的レベルで進められているマインドコントロール用のハードである5G通信網の整備を隠すための煙幕だという話もある。

そういえば、日本でもコロナが流行り出した頃に妙なメールが届くようになった。37度くらいのお湯を飲むと、体内に入ったコロナウイルスを撃退できる。そんな内容だ。非日常的な状況下では、非日常的な話ほどもっともらしく聞こえてしまうのだろう。

CIAによる洗脳実験——MKウルトラ計画

MKウルトラとは、CIA（中央情報局）の科学技術本部が極秘プロジェクトとしてタビストック人間関係研究所と共同で実施していた洗脳実験のコードネームだ。アメリカおよびカナダの国民を被験者として、1950年代初頭から少なくとも1960年代末まで行われていたとされている。

1973年、当時のCIA長官リチャード・ヘルムズがすべての関連文書の破棄を命じたが、1975年に数枚の文書の存在が確認され、アメリカ連邦議会において公開されることになった。MKウルトラには、1945年に設立された統合諜報対象局によるペーパークリップ作戦が深く関与しているといわれている。このコードネームにピンと来る人もいるに違いない。ペーパークリップは、かつてナチ政権に関与した科学者を募集する目的で展開され、拷問やマインドコントロールの研究者、ニュルンベルク裁判で戦犯とされた研究者も含まれていた。

古くは1940年代までさかのぼることができる陰謀論が、2023年の今になっても話題になっているのはなぜなのか。それは、ペーパークリップから始まってMKウルトラになったプロジェクトが、いまだに生き続けているという話があるからだ。

そして、古い陰謀論の新しい位相には、ポップカルチャーという今日的な要素が盛り込まれている。

２０１８年のグラミー賞で、ラッパーとして活躍するカーディ・Ｂがレッドカーペットでインタビューを受けた際、ちょっとした出来事があった。質問に答えている流れで、〝このタイミングで？〟という瞬間にインタビュアーとはまったく違う方向に視線を向け、数秒間にわたって虚空を凝視し続けたのだ。一部の陰謀論者は、この瞬間を見逃さなかった。なぜか、こうした反応がＭＫウルトラで何らかのプログラミングを受けた者に特有の〝バグ〟のようなものだからだ。

前述のとおり、ＭＫウルトラに関する陰謀論は今も根強く生き続けている。その進化の端的な一面が、カーディ・Ｂの行動に出たということなのだろう。ＭＫウルトラ陰謀論の枠組みの中では、セレブやインフルエンサー、そして政治家の公の場での奇妙な行動はほとんどがプログラミングのバグによるものとして理解される。

ＭＫウルトラ陰謀論がなくならない第一の理由は、論拠とされる事実があるからにほかならない。ＬＳＤの大量投与によって思考パターンを作り、キーワードによって特定の行動に出るようにプログラミングしておくというのがＭＫウルトラの目的だった。なぜそんなことが事実と言えるのか。１９７５年に公開された書類から明らかになり、徹底的な調査で掘り起こされたものだからだ。

非人道的な実験の内容が明らかになり、責任を取るべき立場にある者たちが糾弾されるのは決して悪いことではない。しかし、知識の共有と拡散の舞台がポップカルチャーとなると、話は少し変わってくる。MKウルトラと真摯に向き合って研究を行っている人たちとの思惑とはまったく異なる方向に話が進化していってしまった。さらに、家庭用コンピューターやスマートフォンの普及により、いい意味でも悪い意味でも特定の情報に対するアクセスがきわめて容易になった。そういう意味で考えれば、MKウルトラに関する陰謀論はきわめて今日的であると言うこともできるだろう。

ポップカルチャーの中ではかなり説得力がある陰謀論として存在し続けてきたMKウルトラは、2000年代に入って制作されたヒットドラマでも取り上げられ、それによってさらに認知度が上がっているのが事実だ。

Netflixの『ストレンジャー・シングス』というSFドラマをご存知の方は多いはずだ。基本的コンセプトがMKウルトラやその後実施されたスターゲート・プロジェクトといったマインドコントロール関連プロジェクトをモチーフにしたものであることはたびたび指摘されている。生々しい描写も少なくなかったため、政府の陰謀を明らかにするために意図的に制作されたドラマなのではないかという別方向の陰謀論も生まれたぐらいだ。そして、このドラマによってさらにエスカレートした状況が、まったく異なるジャンルに飛び火した。

2016年あたりから、MKウルトラの影響を受けているとされるセレブについての書き込みが各種SNSで目立つようになった。レディ・ガガやジャスティン・ビーバー、テイラー・スウィフトなどショービズ界のスーパースターが多い。冒頭で紹介したカーディ・Bの話も、こうした流れの中で生まれたものだろう。

しかし、マーク・デビッド・チャップマンの名が挙げられているのが気になる。気になるというのは、MKウルトラ陰謀論にいくばくかのリアリティを感じてしまうという意味だ。ジョン・レノンを射殺したチャップマンは、警官が現場に到着するまでその場にとどまり、サリンジャーの『ライ麦畑でつかまえて』を読んでいた。以来、この小説はさまざまな映画でテロ行為への〝スイッチ〟の役割を果たすもの、あるいはテロリストの資質を持つものの特徴として描かれている。

事実として存在したマインドコントロール・プロジェクトに関する陰謀論が今後どのような変容を見せながら進化していくのか、気になるのは筆者だけではないはずだ。

物質混入が囁かれるアメリカの水道水

今から20年ほど前、筆者はカリフォルニア州南部のオレンジ・カウンティーに住んでいた。当時のアメリカでは、上下水道の薬物汚染が問題になっていた。本質は、アメリカ的といえばアメリカ的な話で、複雑な上に根が深い。

使用期限が切れた向精神剤や不妊薬など、主として処方薬をトイレに流す人が多く、アメリカ全土というレベルになると膨大な量になる。アメリカの浄水システムはバクテリアや細菌に対しては強いが、化学物質を除去することはほとんどできない。そもそも、そういう方向性で作られたものではないからだ。

2008年、アメリカで5カ月にわたって行われた水質調査では、24の主要都市の水道水から医薬品成分が検出された。調査の結果は、『Medical News Today』というサイトで公表されている。もう一度触れておくが、目立つのは抗生物質や向精神薬、そして経口避妊薬の成分だ。こうした事実から、陰謀論が一気に拡散した。そして、少し前の時代から根強く生き残っていた陰謀論が息を吹き返す。

かなり昔から、フッ化物陰謀論と形容すべきものが存在している。見方も反応もさまざまだが、長い間語り続けられていることは間違いない。

核となる部分は以下の通りだ。政府が密かに水道水にフッ化物を混入させ、国民の多くに悪影響を与えようとしている。フッ化物質の本質は精神安定剤と同じ成分だ。アメリカ政府が狙っているのは、国民のゾンビ化だ。アメリカの食品メーカーは「フッ化物質マフィア」と呼ばれる秘密のグループを形成していて、政府を巻き込みながら自分たちの利益を追究している。しかし、食品メーカーや政府を背後から操っているのは、あのイルミナティだ。

こんな話もある。第二次世界大戦中、航空機部品に使われるアルミ製品の増産による産業由来のフッ化物質汚染がかなり進んだ。世界各国の政府は、第二次世界大戦後になって虫歯予防という名目で飲料水経由のフッ素の摂取を進めた。これは、戦中には公害とされていた大量のフッ化物質が使われたものではないか。そんな方向性の話もあった。

現在、アメリカやイギリスをはじめとする24か国で、水道経由でフッ素添加水が使われており、世界人口の約6％が飲料水として毎日摂取している。1950年代から、フッ素添加水は共産主義国の陰謀に違いないという見方が絶えなかった。確かに、フッ素添加水のメリットは目に見える形では理解しにくい。さらには、歯学の専門家の中でもフッ素と虫歯予防の効率を疑問視する声があった。

別の項目でも触れているが、スピンオフのひとつとして2024年度アメリカ大統領選挙に無所属候補として出馬するR・ケネディ・ジュニア氏はアメリカの水道水に**〝意図的に〟混入されている薬物**により、子どもたちの性的アイデンティティの意識に変容が起こされていると主張している（P．066参照）。また、2022年のポッドキャストでは「アメリカ中西部の飲料水にはアトラジンが混入されていて、子どもたちの思春期の訪れを意図的に遅らせるという計画が秘密裏に進められている」と語っている。

その後すぐに内分泌かく乱物質が飲料水に混入されているために少女たちの初潮年齢が意図的に早められていると矛盾した主張をしたことから支持率低下につながった。

さらには、こんな話がネットで拡散し始めた。飲料水に蛇の毒が混入されていて、それがコロナウイルスの蔓延の原因となっている。この説は『Watch the Water』というドキュメンタリー番組で取り上げられたもので、インタビューに応じた元カイロプラクター、ブライアン・アーディスの発言が特に注目される形となった。この人物はキングコブラの毒が飲料水に混入されていると主張していた。

また、アーディスによればコロナの蔓延はウイルスが原因ではないという。すべての症例は、飲料水やワクチンに混入されたコブラの毒によって起きている。独自ネットワークで集めた情報によれば、背景にいるのはローマン・カトリック教会機構、さらに特定した言い方をするならバチカンのローマ法王庁だという。「この計画の核となる部分は、神がお造りになった人間のＤＮＡに蛇の毒に宿る悪魔のＤＮＡを注入することにほかならない」とアーディスは語っていたのだが、陰謀論にオカルト要素が盛り込まれると、いくら科学的事実を挙げながら反論してもまったく無駄になる。

ロックダウンが実施されていた頃と比較すれば落ち着いてきてはいるものの、新型コロナウイルスという言葉の響きには、まだまだ新しい話を生み出していくパワーを感じる。また、よくわからない部分があまりにも多いため、誤情報が紛れ込む余地もなくならない。それに、科学の専門家ではない普通の人間が考えても〝ありえない〟話だとしても――いや、常識の枠組みから離れれば離れるだけ――ネットに乗ったとたんに信ぴょう性が高まってしまう傾向が否めない。

飲料水に関する陰謀論には、かなり昔からあった話が大規模水質調査をきっかけにリバイバルのような形で盛り上がり、さらにコロナウイルスの蔓延が重なって新しいものが生まれ、その過程で昔からあった話に再び注目が集まるという永遠ループのような構造が感じられる。

デジタル自殺ウイルス？——Momoチャレンジ

少し前、〝Ｍｏｍｏチャレンジ〟というＳＮＳ由来のゲームが世界中の若年層の間で広がった。匿名の相手から送られてくる〝チャレンジ〟をこなすうちに内容がエスカレートしていって、最後は自殺を迫られるというものだ。アルゼンチンやインドネシアでは、このゲームときわめて深い関連性が考えられる12歳の少女の自殺が報告されていた。

実はこのゲーム、実在しない。とても都市伝説的な展開の〝存在しないチャレンジ〟だ。Ｍｏｍｏという名のユーザーが、小学校高学年から高校生までの年代の若者を、暴力的な攻撃や自傷行為、自殺を含む一連の危険な行為に仕向けているという事例がいくつも報告され、２０１８年の夏に世界的な規模に達したと認識されている。

インドネシアの新聞が12歳の少女の自殺についての記事を掲載し、２０１９年2月には北アイルランド警察庁がFacebookの公式アカウントで警告を発し、さらにはアメリカのセレブ／インフルエンサーのキム・カーダシアンがＭｏｍｏチャレンジの関連性が考えられるYouTube動画を削除するようInstagramのストーリーで主張したため、若年層を中心とする人々の意識が高まったといわれている。

一般的にはインターネットのデマというカテゴリーに収まる話になるのだが、陰謀論がそこで止まるわけがない。ＡＩまで盛り込んだ数々の話が生まれ、かなり長い間語られていた。まずは、Ｍｏｍｏチャレンジ自体についてもう少し詳しく触れておこう。

メッセージは、相蘇敬介氏の「姑獲鳥」という造形作品が悪用されたアイコンと共に送られてくる。〝〇〇チャレンジ〟というジャンルのゲームは数多くあるので、受け取った人はほぼ反射的にメッセージを読んでしまう。「夜中にとびっきり怖いホラー映画を見よう」「友達を驚かせよう」というような他愛のない指令から始まり、「手首を切ってみよう」など自傷行為をそそのかすものにエスカレートし、最終的には「学校の屋上から飛び降りてみよう」など、ストレートに自殺に追いやるものとなる。

拡散の媒体としてはフォートナイトなど人気の高いゲームもあり、若年層のネットユーザーを狙い撃ちした意図が見え隠れしていた。ただ、実際にＭｏｍｏチャレンジが原因で自殺した例があったかどうかは確認できず、ＤＭで送られてくる文章の中で〝つり〟や〝煽り〟の文言として盛り込まれた可能性が高い。

ある程度以上の年齢層の人々なら、くだらないと思うだけかもしれない。しかし、ネット上で繰り広げられる伝言ゲームめいたものや、いわゆるミームを媒体としたムーブメントに乗りやすい年代の人々にとって、Ｍｏｍｏチャレンジはまさにピンポイントな方法論だったのかもしれない。目的は何だったのか。それは、大規模なデータ収集とＡＩの根本的な精度を高めていくことだったといわれている。

さまざまなことを人間以上の効率でこなすＡＩは、多くの人間の仕事を奪いつつある。そんな指摘が行われてからしばらく経っている。しかし、ＡＩも決してオールマイティーではない。ＡＩが不得手とする分野は何か。それは、人間の感情的側面における再現性だ。過去のデータを組み合わせて具体的かつオリジナルな回答を返すことは得意でも、決定的に苦手なのは感情という要素がからむ問題だ。だからＡＩに恋愛相談をしても的外れなものになるし、将来への不安についてアドバイスをもらおうとしても、あまり役には立たない。

恐怖も人間の大きな感情のひとつだ。これを解き明かすためには、プリミティブでストレートな恐怖についてのデータを大量に収集する必要がある。そうする過程で、数えきれないほどのサンプルの総合的な傾向を読み取ることもできるし、同時に個々のサンプルの比較も可能となる。そこで、思春期の人々が抱く恐怖に対する集約的な検証プログラムを構築し、実施する必要が出てきた。Ｍｏｍｏチャレンジの出現の背景には、こうしたダーク・プロジェクトの存在があったと主張する人々がいる。

この陰謀論に関しては、当初は犯人に関する言及がほとんどなかった。関心が事象そのものに集中し、サイドストーリー的な背景まで広がらなかったと言ったほうが事実に近いかもしれない。拡散の中核となっていた年代がティーンエイジャーだったので、ごく一般的な陰謀論で使われることが多いボキャブラリーに関する知識の絶対量が不足していたのかもしれない。

それと同時に言えることは、既存の陰謀論を拡散している人々のＭｏｍｏチャレンジに関する知識不足があったという可能性だ。こうした傾向を裏付けるように、ＮＷＯあるいは特定の国家のサイバー部隊などの主役が特定された形のＭｏｍｏチャレンジに関する陰謀論の骨格が確定したのは、実際の拡散時期とはかなりのタイムラグがあった。

若年層で都市伝説的に拡散していた話をモチーフにして、スピンオフのような形で陰謀論が生まれる展開を見せたＭｏｍｏチャレンジは、複数の世代間で起きた誕生から進化のプロセスを考えると、かなり特異なものだったのかもしれない。

古くて新しい陰謀論——地球平面説

２０２０年、大統領選挙と併せて行われた連邦議会選挙。デラウェア州の共和党上院議員候補に、予備選の段階からひときわ注目を集めていたローレン・ウィッキーという女性がいた。立候補した時点からトランプ大統領への熱烈な支持を表明し、Ｑアノン運動にも積極的に参加していた事実を前面に押し出しながら選挙戦を闘っていた。

彼女には、もうひとつの顔があった。〝フラットアーサー〟＝地球平面説支持者であることも公言していたのだ。ダイハードなトランプ支持派、Ｑアノン信奉者、しかも地球平面説支持者という、上院議員候補としてはかなり特徴的なプロフィールだ。結局は民主党候補に負けて議席獲得には至らなかったのだが、２０２０年のアメリカで地球平面説という考え方が根強く残っていて、それを信じていることを公の場で明らかにする女性上院議員候補が善戦したことで、陰謀論としてとらえられることが少なくない地球平面説にスポットライトが当たることになった。

地球平面説とは、文字通り地球全体が広大な平面であるとする考え方だ。信奉者たちは「フラットアース・ソサエティ」という国際組織も設立している。控えめに言っても〝きわめて特殊な思想〟が今の世の中でスポットライトを浴びる理由は何か。実は、地球平面説の出発点はあっけないほどシンプルだ。自分を取り巻く世界では、すべてが平らに見え、平らに感じられる。これが自分たちの〝皮膚感覚〟であり、正しいに違いない。だから、これに反する要素はすべて排除する。NASAが撮影した球形の地球の写真は偽物にほかならない。そもそも地球が球体であるわけはないのに、数多くの政府機関が主導する〝球形地球陰謀論〟が介在しているため、地球球体説が信じられている。多くの人たちは騙されているにすぎない。

もう少し掘り下げておこう。地球の形状は円盤状で、北極圏が中心部に位置し、円盤の外縁部は高さ46メートルの氷の壁である南極が取り囲んでいる。NASAには南極の壁を守ることを目的とする専門部署があり、何も知らない人がうっかり登って外側に落ちないよう24時間体制で監視が実施されている。地球の昼と夜のサイクルは、直径51キロの球体である太陽と月が地上4828キロ上空で円を描くように移動しながら繰り返される。星の移動線は、それより160キロ上にある。24時間のサイクルの中で太陽や月、そして星の光がさまざまな地域に届く。

重力は錯覚に過ぎない。下に向かって落ちるものが加速することなどない。真実はまったく逆で、上に向かって加速する〝ダーク・エネルギー〟という力が働く。地球の地下構造については、今のところはっきりとはわかっていない。主流派科学で事実とされ、万人に押し付けられている〝地球球体説〟こそ陰謀論なのだ。

フラットアース・ソサエティは、サミュエル・シェーントンというイギリス人男性によって1956年に設立された。当初は、単なる変わり者の集まりという程度の認識だったようだ。それほど影響力がある組織とも思えなかったに違いない。しかし1990年代に入り、インターネットが誰にとっても身近な時代になると、状況が一変した。少なくともアメリカでは、ポップカルチャー／サブカルチャーにおいて一大トレンド化した。フォーラムがいくつもできて、2009年10月に第1回総会が開催された。ちなみに日本でも、2020年の秋にメジャーなイベントが行われている。

しかし、地球平面説も一枚岩の状態ではない。地球の外縁部は氷の壁で囲まれているという説。巨大なドームに覆われているような状態なので、大気も海水もすべてドームに内包されているという説。前述の通り、太陽や月をはじめとする他の天体との距離や位置関係に関する解釈もさまざまだ。細かく見ていくとバラバラの状態なのだが、些末なことはどうでもいいのだ。〝地球は平面である〟というシンプルで揺るぎのない信念によって、すべてがひとつにまとまっている。

その揺るぎのない信念は、不特定多数の人々に向けて特徴のある情報をストレートな形で向けることができるインターネットというシステムとの親和性が極めて高い。なぜか。イギリスのカンタベリーにあるケント大学の社会心理学チームが行った調査で、陰謀論とインターネットの相関関係的要素がいくつか明らかになった。

疑念を感じる人たちは、それを払しょくするなり、自分の中で解決するための情報を探す。今日、その媒体はインターネットであることが多い。もうひとつ言えるのは、種類がどんなものであれ、いわゆる陰謀論に陥りやすい傾向が一番高いのは、情報収集能力が高く、何らかの深い疑念を抱いている人たちであるという事実だ。

こうした人たちも、陰謀論と呼ばれるものの背後にあるとらえどころのないものの存在を感じることは間違いない。しかし、自ら進んで情報を得ようとする姿勢によってもたらされる排他的な情報は優越感をもたらす。やがて優越感が信頼に変わり、それが自己肯定感となって蓄積されていく。こうなると、もはや理屈ではなくなる。

地球平面説は、誕生以来の大チャンスが到来しているのかもしれない。特に突出しているわけではないが、世界政府であるとか、人口削減計画であるとか、ダークなテーマが多い陰謀論の中では比較的ライトな内容だ。だからこそ、常識の中で生きている人たちの中にも浸透していく余地があるのだろう。

人間と機械の合体——トランスヒューマニズム

２０１８年、『ホモ・デウス　テクノロジーとサピエンスの未来』（河出書房新社）という本が出版された。著者はイスラエルの歴史学者で、ヘブライ大学歴史学部の終身雇用教授であるユヴァ・ノア・ハラリ氏だ。ホモ・デウスという言葉は、〝神人類〟と訳されることが多かった。人間の肉体を持ちながら神の領域に近づくほどの能力を宿した人類というニュアンスになるだろうか。人間は、どうやってそこまで到達するのか。そのプロセスのキーワードは、肉体と機械の融合だ。そしてプロセス全体をトランスヒューマニズムという言葉で表すことができる。

科学技術やテクノロジーを通して人類を進化させる。それがトランスヒューマニズムの基本的なコンセプトだ。こうした思想を具現化しようとする人物が、２０１６年のアメリカ大統領選挙の立候補者の中にもいた。自分の体と機械を取り替える時代が来ると主張する「トランスヒューマニスト党」のゾルタン・イシュトヴァン氏だ。

トランスヒューマニズムは、機械的テクノロジーによって人間の精神的・肉体的能力を増強することにほかならず、そうした方法で能力の底上げが可能になるという考え方だ。ハラリ教授はとあるインタビューで、ホモ・サピエンスがホモ・デウスに進化するのは時間の問題だと語っていた。トランスヒューマニズムはマーク・ザッカーバーグ氏やイーロン・マスク氏も興味を示し、特にマスク氏は「ニューラルレース」という製品のコンセプトを早くから打ち出していた。これは、人間の脳を薄いメッシュ状の電極で包み、クラウドとつないで、思考や記憶をアップするというテクノロジーだ。この種のテクノロジーに関する概念が、陰謀論に組み込まれないわけがない。

そして2021年10月、バチカンで行われる国際会議のインターネット広告が多くの人々の注目を集め、大きな混乱が生まれた。広告には「われわれの未来をプログラムする」というキャッチフレーズと〝トランスヒューマン・コード〟という言葉が並んで示されていた。すべてつなげて考えると、バチカンが主宰するトランスヒューマニズム関連の国際会議が開催されるように思える。しかし、カトリック教会機構の総本山であるバチカンが人間の肉体に機械を組み込むなどという考え方に賛同するわけがない。神によって造られた人間の肉体は、そのまま完全だからだ。

結局、この会議の主催者はジェイボーイ・プロダクションズという会社であることがわかった。正式名称は「エリート・グローバル・リーダーズ・カンファレンス」（世界エリート・リーダー会議）。陰謀論のイメージが一気に膨らむネーミングだ。

別の項目（P．072参照）でも紹介しているアメリカの有名陰謀論者**アレックス・**

ジョーンズは、トランスヒューマニズムの流れを〝ザ・ニュー・ダークエイジ〟と形容する。それは、トランスヒューマニズム・テクノロジーがそもそも軍事畑で育まれ、実用化されようとしているからにほかならない。ジョーンズ氏が〝ザ・ニュー・ダークエイジ〟という言葉で表現しようとしているのは、どのような状況なのか。

これまでのトランスヒューマニズムは、人体に機械を埋め込む形で進められてきたが、今後は〝人間と機械の同化〟というものになるようだ。マスク氏の会社が開発したニューラル・レースはそのさきがけにほかならない。ならば、同化とはどういう状況を意味する言葉なのか。ここでシンギュラリティという概念が持ち出されることが多い。技術的特異点という訳語が当てられているテクニカルタームで、AIが人類の知能を超えるタイミングを示して使う。一般的には2045年頃といわれているが、昨今の生成型AIの進化の速度を考えると、もっと早まるかもしれない。

ジョーンズをはじめとする陰謀論者が恐れるのは、文字通り人間が機械に〝取り込まれ〟たり、〝呑み込まれ〟たりすることではないだろうか。ならば人間は人間として存在し続けることができず、未来は完全なディストピア・シナリオになってしまう。

トランスヒューマニズムを進行させようと思っている人たちには、前述した通り意識や記憶のアップロード、肉体の機械化、ＡＩと脳をリンクさせることで実現する知識の爆発的増加など、人道面を軽視する態度が見え隠れしている。図式としては、ホモ・サピエンスのまま存在し続けようとする勢力と、さらに進化を続けてホモ・デウスとなろうとする勢力の対決機軸がますます際立っていくということなのだろうか。

ハラリ教授は、とあるインタビューで次のように語っている。

「トランスヒューマニズムは、数世紀後ではなく、数十年後に到来する状況だ。進化はすでに始まっていて、すべての人類がその領域に入りつつある。バイオエンジニアリングやサイボーグ技術、そして無機生命体といった分野で成果がもたらされれば、人間は神のような存在になる。20万年前の人類は石斧さえ作れなかったが、現代の人類は宇宙船やコンピューターを作り、遺伝子の解明も進んでいる。ただ、一部の人間は神のようにスーパーメモリーとスーパーインテリジェンス、そして不死性を手に入れるが、大部分の人類はそこまで行かずにとどまる。19世紀中は工業化によって労働階級が生まれたが、21世紀はデジタル化が進み、新しい階級が生まれる。それは〝無用者階級〟である」

無用者階級。ちょっと空恐ろしい響きを感じる言葉だ。

神の手か、知性ある何かか——創造論とID理論

〝クリエイショニズム〟＝創造論という言葉がある。地球上の生物は、主流派科学の枠組みでいうダーウィン進化論とは異なるプロセスで進化を遂げたとする考え方だ。ダーウィン進化論と決定的に違うのは、進化の過程で神の介在があり、神の手によって進化が整っていったという部分にほかならない。

アメリカ中東部、ケンタッキー州ピーターズバーグの郊外。市内を流れるオハイオ川のすぐ近く、州高速275号線沿いに、75000平方フィート（約6968平方メートル）という広大な敷地を誇る「クリエイション・ミュージアム」（創造博物館）という施設がある。その名の通り、創造論という大きなテーマに沿って作られた壮麗なアトラクションだ。ウェブサイトには、以下のような紹介文が示されている。

「人間による過ちだらけの推測を排除し、神の完全無欠な御言葉を余すところなく尊ぶ創造博物館は、本当の意味でのこの世の成り立ちを理解するのにふさわしい場所です」

この施設は主流派科学で言うすべての進化論を否定し、聖書に記されていることだけが真実という立ち位置から地球と生物の歴史を説明することを目的としている。

聖書の記述をすべて文字通り受け入れるのは、別項目で触れた**フラットアーサー**

（P．118参照）だけではない。〝Young Earth Creationism〟（YEC＝若い地球の創造論）という考え方がある。YECでは、地球が誕生してから6000年から1万年しか経過しておらず、聖書に記されているとおり、森羅万象は6日間で創造された。人間の肉体が滅びて堕落するのは、アダムとイブが誘惑に負けたことに起因する。地質学の存在意義とその歴史は認めるが、基点とするのは、こちらも〝事実〟であるノアの大洪水だ。

神の全能性に関する文章は、聖書全体にちりばめられている。そしてどの文章の表現にも、統一された考え方が見え隠れする。自然の力を神の全能性に置き換えて受け入れていく姿勢だ。「万物は言《ことば》によって成った。成ったもので、言によらずに成ったものは何ひとつなかった」（『ヨハネの黙示録』第1章3節）という文章がある。神の意志が活かされずに生まれたものは何ひとつ存在しない。そして、自然の摂理や法則も神の言葉によって成ったものであるとされる。『箴言』の第16章33節には、次のような言葉が記されている。

「くじは膝の上に投げるが、ふさわしい定めはすべて主から与えられる」

偶然や確率という概念は、予測できないことに対して人間が考えた方便であって、神はどこにでもいて何でも見ていて、すべてを決める。

さらに激しい対抗姿勢でダーウィン進化論と向かい合うのが〝インテリジェント・デザイン理論〟（ＩＤ理論）だ。地球上の生物は、長い歴史の中で〝知性ある何か〟によって創り出されたというコンセプトに基づく考え方である。

アメリカ自然史博物館の機関誌『ナチュラル・ヒストリー（マガジン）』の2002年4月号で、ＩＤ理論が大々的に取り上げられた。記事は、ＩＤ理論とダーウィン進化論それぞれの論客が論文を通してお互いの主張をぶつけ合うというフォーマットだった。この論戦に参加したアメリカ人数学者ウィリアム・デムスキー博士は、インテリジェント・デザイン理論を以下のような言葉で定義する。

「インテリジェント・デザイン理論とは、既存の知性による作用の結果生まれたという解釈によって最もよく説明される自然界の形態・様式に関する研究を意味する言葉である」（『What Is Intelligent Design?』（https://intelligentdesign.org/whatisid/））

自然界には、既存の知性によって〝意図的に〟創られたとしか考えられないものがある。こうしたものの存在をダーウィン進化論だけで説明するのは不可能だ。不可能である以上、別の要素の介在を想定しないわけにはいかない。別の要素とは、人知を超えた〝知性ある何か〟である。

創造論とインテリジェント・デザイン理論に共通する概念はまったく同じものなのかもしれない。そして、主流派科学は双方を陰謀論視しがちなことは間違いない。その理由は、実証と再現性で構築されてきた枠組みが、〝人知を超えた知性ある何か〟あるいは〝神〟によって壊されてしまうかもしれないという恐れにも似た感情ではないだろうか。

最近、ＩＤ理論から〝ネオ・インテリジェント・デザイン理論〟（ＮＩＤ理論）という考え方が派生した。知性ある何かが働きかけたのは生物進化だけでなく、人間の論理的思考能力や認知能力も含めているとする説だ。科学や宗教といったものに対する概念でさえ、知性ある何かによるデザインの効果が及んだ結果であるとする考え方だ。

ＩＤ理論が扱うのは、もはやダーウィン進化論の脆弱性だけではなくなっている。〝人間であること〟とは何か、そして人間がそういう意識を持つに至った過程に作用をもたらしたものは何かについてまで考えることが普通になってきている。これはもう神学の範疇だ。ダーウィン進化論に対する純粋に科学的な対抗論として生まれたはずのＩＤ理論に神という要素が感じられる様相には、これから先創造論との融合が進んでいく可能性が強く感じられる。主流派科学にとっては陰謀論以外の何物でもない。

芸能ニュースの裏側にあるもの

Column 04

主流派マスコミによる情報隠蔽、意図的な方向付けも、陰謀論のロジックだ。一般国民に知られないほうがいいことがあると、他の大きなニュースを持ってくる。社会構成要素の大部分を占める人たちの関心を一気に惹きつけるもの。端的な例は、芸能ニュースではないだろうか。

ここで、読者のみなさんとインタラクティブな形の試みをしてみたい。以下に挙げる〝大きな芸能ニュース〟と同時期に起きた大きな出来事を、検索いただきたいのだ。

まずは、2020年12月3日に行われたとあるお笑い芸人の〝多目的トイレ不倫〟に関する記者会見。この会見には、文字通り世間の耳目が一気に集まり、ワイドショーはもとよりニュース番組の中でも放送時間が圧倒的に多かった。テレビだけではない。主要な新聞も雑誌も、速報性が高いネットニュースでもこの会見が大きく扱われていた。時を同じくして政界がらみの問題が話題になっていたのだが、結果としてそちらの印象は圧倒的に薄まってしまった。

人気女優のスキャンダルや有名歌手の薬物事犯なども煙幕として使われることが多い。問題が起こりそうになったら、その前の時点で手が打たれる。大物芸能人のスキャンダルが報じられた時には、何かがある。これは邪推ではない。鳩山由紀夫元首相も、こんなコメントをしている。

「みなさんが指摘するように、政府がスキャンダルを犯した時、それ以上に国民が関心を示すスキャンダルで政府のスキャンダルを隠すことが目的だ」

こうなると確かめずにはいられない。ここで一つひとつの事件を挙げて説明するにはスペースがなさすぎる。そこで、読者の皆さんにその作業をしていただいて、陰謀論のメカニズムめいたものを確かめていただきたいのだ。

たとえば、記者会見でふてくされた言い方をさんざんいじられた女優が2019年11月に逮捕された。これは、前述したお笑い芸人と時期がかぶる。ということは、隠したかったスキャンダルは同じだったのかもしれない。当時〝煙が立ちかかっていた〟のは、あの話だ。

ごく最近、日本を代表する芸能事務所がスキャンダルに見舞われ、報道はこの事件一色になった。この裏に隠したい事実があったのだとしたら、いったい何なのだろうか。

【第五章】

UFOと異星人の陰謀論

NASAと月面秘密基地

〝アポロ11号ミッション〟という言葉を聞いて、ニール・アームストロングやバズ・オルドリンの名前を思い浮かべる人は多いに違いない。しかし、マイケル・コリンズという名を最初に挙げる人はほとんどいないのではないだろうか。マイケル・コリンズはアポロ11号司令船のパイロットを務め、アームストロングとオルドリンが月面活動を行っている間、周回軌道上を飛行しながら月面の撮影などを行っていた。

周回軌道上を飛行していたということは、〝ダークサイド・オブ・ザ・ムーン〟＝月の裏側も目の当たりにしたということだ。2019年に放送された『60ミニッツ・オーストラリア』という番組のインタビューで月の裏側について尋ねられたコリンズは「そんなに楽しい場所ではない」とだけ答えている。

インタビュアーの女性がどのような意図で月の裏側に関する質問をしたのかはわからないが、陰謀論においてもかなりの興味が集まる点であることは間違いない。アポロ計画に関しては、別項で紹介している〝**人類は月に着陸していない**〟という有名な陰謀論がある（P．156参照）。ここではまず、もうひとつの有名な話を紹介していきたい。

アポロ11号の月面着陸は、人類が成し遂げた偉業のひとつだ。この出来事は本格的な宇宙時代の到来として受け取られたのだが、それと同時に奇妙な噂が流れた。これがアポロ11号陰謀論と呼ばれるものの始まりだった。

〝アポロ11号は月に着陸していなかった〟という話と同じくらい根強く支持されているのが、コリンズが月の裏側にある奇妙な構造を目撃し、撮影していたという話だ。アポロ11号ミッションに関しては、この10年で初めて公開された交信記録があったり、NASAが月面着陸に関する書類や音声の一部を紛失したりという事実がある。こうした傍証的な要素が、この種の陰謀の論拠となっている。

NASAによれば、月の裏側はクレーターが多く〝海〟の部分は少ない。地球から見える面と比べると、かなり荒れた状態であるという。ただ軍情報部の関係者によれば、それだけではない。月周回無人衛星ルナ・レコネサンス・オービターが送ってきた画像を部下と共に解析したラングレーの戦術航空軍団本部所属の技術官カール・ウルフは、レーダーアンテナや直線から成る建造物など、人工建造物の存在を確認したという。

「月の裏側には、隕石の激突など自然によって形成されたはずがない構造が多数存在する。こうした構造は、人工建造物にほかならない。最も顕著な例は、外見がレーダーアンテナそのものとしか形容できない構造である」

それだけではない。インドが打ち上げた月探査機チャンドラヤーン1号が撮影した画像には、地下トンネル状の構造が張り巡らされている様子が写り込んでいた。話はいよいよ、月の裏側に秘密基地があるという方向性に流れていくことになる。

2012年には、中国の宇宙開発局と共同研究を行っていたマイケル・サラ博士という人物が〝稼働状態にある月面基地〟についてのコメントを行っている。サラ博士は、この基地が地球外軍事／産業複合施設であると語った。しかもNASA自らが地球外生命体の存在の痕跡を消し去るため、月面に残る古代遺跡をはじめとするさまざまな人工建造物を破壊し、その後に地球人類用の施設を建設したと言い切った。

月面の異常構造に特化した研究を行っているリサーチャーも数多くいる。〝キャッスル〟や〝破片〟、〝塔〟などさまざまな人工建造物らしき構造が発見され、画像に解析が加えられた。ちなみにこうした異常構造に対する検証は今も行われており、NASAがまさに今推進しているアルテミス計画によって再びクローズアップされているのが事実だ。アポロ11号のミッションそのものが、月の裏側にある地球外生命体の施設なり基地なりを破壊することだったという話もあった。そこからつながるアルテミス計画の目的の一部は、月の裏側の完全制覇にほかならないとする人たちもいる。

この話には、さらなる進化が見られる。『Artemis Moon Base, Secret UFO, and Alien Space Programs』（https://www.youtube.com/watch?v=NYvXeDQSjns&t=326s）というビデオの中で、月面前哨基地の性格が語られている。アポロ計画は11号のミッションを通して地球外生命体のインフラを叩いて活性化したが、17号のミッションで終わった。以来ＮＡＳＡが月面探査プログラムを再開しなかった理由は、すでに月面を占拠していたエイリアンがアポロを侵略者として認識し、ＮＡＳＡに対する激しい抵抗をしたからだ。陰謀論的な進化はそんな方向にも延びている。

アルテミス計画の隠された本質は、ＮＡＳＡが月に異常構造を残した地球外生命体についての事実の把握と、この先考えて行くべき共生か対抗というふたつのシナリオを可能にする体制の確立だ。言うまでもなく、こうしたアプローチの芽はアポロ計画を通して育まれた。

ひょっとしたら、ＮＡＳＡは本気で太陽系制覇を狙っているのかもしれない。陰謀論のパワーは、そんな思いまで生み出してしまう。

UAP＝未確認航空現象という言葉で示されるもの

２０２１年、連綿と続いてきたユーフォロジー（ＵＦＯ学）に〝ＵＡＰ〟（Unidentified Aerial Phenomena ＝未確認航空現象）という新しいボキャブラリーが加わった。そしてこの言葉が盛り込まれた報告書が、こともあろうにアメリカの軍部によって公表されたのも驚きだった。

ＵＦＯに関する検証は、陰謀論的なものも含めてさまざまな方向に展開しながら進化してきた。中でも、アメリカ政府をはじめとして各国政府がＵＦＯの存在に関する決定的な情報をひた隠しにしているという姿勢を、半ば既成事実化して語る話は後を絶たない。ＵＦＯは地球外由来の知的生命体によって操縦されており、各国はエイリアンテクノロジーを提供してもらう見返りとして、アニマル・ミューティレーションやアブダクション、インプラントを許しているという形でまとめられることが多い。

アニマル・ミューティレーションというのは、家畜が眼球を抜かれたり、レーザーメスを使ったような見事な切り口で体の部位を切除されたりした姿の死体で見つかる事例を意味する。アブダクションというのはＵＦＯによる地球人の誘拐、そしてインプラントというのは体の中に異物を埋め込まれる事例のことだ。そして、ＵＡＰという新しい単語が加わった後ほどなくして、アメリカ政府がこれまでＵＦＯと呼ばれていたものの正式な名称として使用していく姿勢を明確にした。世界中のリサーチャーは、これで現象の範囲が広がったと感じたはずだ。というのは、数年前からＵＳＯ＝Unidentified Submarine Object（未確認潜水物体）と呼ばれるものに関する報告が相次いでいるからだ。

ごく簡単に定義するなら、水中のＵＦＯということになるらしい。しかしこの種の物体の航行スピードも信じられないくらい早い。地球上では、水中を最も早く移動できるのはカジキマグロで、そのスピードを上回る機械はない。

水中のＵＦＯという新しい概念まで盛り込んだ公式の報告書が公表されたことで、リサーチャーたちは色めき立った。特に顕著な動きを見せたのが、各種のＵＦＯ陰謀論を信奉する人たちだ。この報告書に関して開催された公聴会は2部構成で、1部は公開されたが、2部は非公開という形で行われた。2部で語られたことは何だったのか。国防に関する内容だったことは容易に想像できるので、こうした分野の詳細な報告がすべて公表されるとは思えない。しかし陰謀論陣営は、こうした秘匿性をエネルギーにして独自のロジックを展開していく。方向性としては、隠されている情報の内容からＵＦＯ＝ＵＡＰに関わる政府機関の構造にまで及ぶ。

2021年くらいから、UFOに関する情報が公開される機会が多くなった。こうしたトレンドが決定的になったのは、2020年4月にアメリカ国防総省が3種類のビデオを公表したことにある。それまで隠してきたUFO存在の証拠ビデオ——しかも戦闘機の搭載カメラによって撮影されたもの——をあっさり公表してしまったのだ。

写っている物体の形状から〝TicTac〟と呼ばれるようになったビデオは特に話題になり、あっという間に世界中に拡散した。ところが、リサーチャーの意見は分かれた。ついにUFOの実在を証明する物証となるビデオが軍によって公表された。これはもっともな反応だが、それと同時に、「これほど簡単に〝事実〟が公表されるものだろうか」という、うがった見方をする人たちも決して少なくなかった。以来、軍由来のさまざまなビデオの公表が相次いだが、TicTac公表で生まれたリサーチャー間の意見の溝はいまだに埋まっていないように感じられる。

政府機関の構造に関する陰謀論というのは、別の言葉で表現するなら対決機軸ということになる。まずは、陸・海・空3軍の横方向の関係に関する話だ。UFO問題はそもそも空軍の担当分野だが、1947年7月に起きたロズウェル事件では陸軍がオペレーションの大半を担った。ただ今は、TicTacに関しても言える通り、海軍がリードしていると思われる。

さらに、国防総省内にはＵＡＰ分野全般の調査研究を行う部局としてＡＡＲＯ（All-Domain Anomaly Resolution Office ＝全領域異常解決局）が設置されているのだが、ＮＡＳＡも独自の部局を立ち上げ、ＵＡＰ全般の調査を行う姿勢を見せている。この二つの部局だけを見ても、政府内におけるプライオリティがどちらに置かれるのかはっきりしていない。イニシアティブが明確にされないままことが進んでいるのだ。一部のリサーチャーは、こうした分裂状態の構造の中で真実がどこかに紛れ込んでしまう可能性を憂慮している。確かに、現体制がこのまま進んで行けば横方向のつながりがないまま、事実の公表以降のプロセスがまったく進まないという状況が生まれるかもしれない。こうなれば、結果として〝真実〟が明らかになるタイミングは大幅に遅れることになる。ひょっとしたら、バイデン政権内に大規模な情報操作を行っている黒幕が存在するのかもしれない。陰謀論に限れば、話はそこまで進んでいる。

ＵＡＰは、これまでも十分カオスだったＵＦＯ現象研究をさらにかき回す役割を果たすだけの、陰謀論をプロデュースしている者だけにとって都合のいいキーワードなのかもしれない。

アメリカ政府とエイリアンの密約

アメリカ政府とエイリアンの間には密約がある——陰謀論とも都市伝説ともいえるようなそんな話が長い間語られている。歴代大統領の中でも、アイゼンハワー大統領は3回にわたってエイリアンと秘密会合を行っていたという。

2012年に爆弾発言を行ったのは、アイゼンハワー政権下の下院議員で国防総省の顧問を務め、今は著述者・講演者として有名なティモシー・グッドという人物だ。大統領は1954年、ニューメキシコ州にあるホロマン空軍基地でエイリアンと会ったという。この会談に深く関わったグッド氏は、世界各国の政府がかなりの長期間にわたってエイリアンとの関係を築いてきた事実について詳しく語っている。こういう話は媒体が気になるのだが、彼がすべてを明らかにしたのは『Opinionated』という時事問題を取り扱うごく普通の番組だ。

キワモノとは完全に無関係と思われるBBCの報道番組で、グッド氏はこうも語っている。

「エイリアンは公式・非公式双方のチャンネルで、世界中のありとあらゆる社会階層の何万人という単位の地球人に積極的に働きかけてきました」

この流れで、1954年にホロマン空軍基地でアイゼンハワー大統領とエイリアンが会談していたという話が飛び出した。うっかりしてしまったのか、意図していたものなのかはわからない。

１９５３年から１９６１年までアメリカ大統領を務めたアイゼンハワーは元陸軍将軍で、第２次世界大戦ではヨーロッパ戦線で戦い、地球外生命体の存在を信じていたことでも知られている。そのためか、アメリカの宇宙開発プログラムにも積極的だった。こうした姿勢が後のケネディ政権にも受け継がれていったと考えるのが妥当だ。

一般社会でごく普通の日常生活を送っているわれわれには信じがたい話だ。しかし、アイゼンハワー大統領から始まったエイリアンとの密接な関係は、条約という形で今も続いているといわれている。それを物語る物証や傍証も豊富にあるようだ。ホロマン空軍基地で行われた会談の後、正式な条約を取り交わすための場所として選ばれたのはカリフォルニア州のエドワーズ空軍基地だった。よって、後にエドワーズ合意と呼ばれることになった。

別項目で紹介している**エリア51**（Ｐ．１４４参照）で勤務していた経験を持つ微生物の専門家ダン・ブリッシュ博士――ＵＦＯリサーチャー界隈では有名な人物だ――は、この時取り交わされた条約をＴＡＵ４条約と呼んでいる。内容は、地球人類の保護と維持だ。もしかしたら、これは不可侵条約的なニュアンスで取り交わされたものかもしれない。

地球人にとって、エイリアンに攻め込まれるというのはディストピア的な状況でしかない。それを防ぐための見返りは何だったのか。エイリアン側は、キャトルミューティレーションに代表される生体サンプルの採取の定期的な実行、そしてアブダクションの許可を求めてきたという。こちらも、地球人にとってはディストピアにちがいない。地球人類の一部をモルモットとして差し出す代わりに得られたのは、残りの地球人類の安全およびエイリアンテクノロジーの譲渡だった。ちなみに、エイリアン側の代表として席についたのは、りゅう座のレプティリアン（爬虫類型エイリアン）のクリルと、レチクル座ゼータ星からやってきたJ・ロッドというグレイ型エイリアンだった。このあたりの要素がフックとなって、別項目で触れている**爬虫類人間のエリート層の話**（P.１４８参照）が生まれていったと考えられる。

エドワーズ合意は、１９４７年のロズウェル事件から続いた一連の出来事の結果であると考えられている。ロズウェルで墜落した宇宙船の残骸からエイリアンの遺体が数体見つかった。まだ生きているものも含まれていたとする話もある。

2年後の1949年、別の円盤墜落事故が同じニューメキシコ州で起きた。この時の事件では生存者が確認されている。EBE《イーブ》と名付けられ、厳重な監視体制に置いた上で、彼らの種との交信の方法が模索された。

EBEの種とのコミュニケーション方法が確立したのは1951年だった。EBE自身が造り方を伝えたという。こうして地球人類とグレイ型エイリアンとの交信が始まり、話し合いが重ねられ、1954年の条約締結が実現した。

この密約は、陰謀論の枠組みにおけるアメリカ政府という文脈で、今も続いている。イギリスや日本を含む同盟国の間では条約に関する知識と情報が共有されているという話がある一方で、第42代のビル・クリントン政権からは〝必要がある場合には知らせる〟というスタンスに変わり、その後はほとんどが知らされない状態になったようだ。現時点では極秘の特命タスクフォースがすべてを取り仕切っている。

大統領選挙になると、候補者がUFOの秘密についての公約を口にすることが多い。候補者本人も半ば本気なのかもしれない。しかし、この公約が守られたことはない。口にした候補は必ず落選するからだ。こうした事実も見逃されることはなく、メタ・ナラティブとしての陰謀論に盛り込まれていく。

エリア51で異星人が技術供与している？

ネバダ州のエリア51は、2013年まで存在が認められていなかった軍事施設だ。そして軍事施設であるにもかかわらず、存在を認めたのは情報機関であるCIAだった。管理体制のねじれから考えても、この施設で何かが行われていた――いや、今も行われていること――は間違いない。そう主張する人たちがいる。

そもそも軍事施設なので、アクセスはきわめて限られている。ラスベガスのマッカラン国際空港（現ハリー・リード国際空港）の一角から離発着する白い機体の直行フライトを利用するか、基地からかなり離れた場所にある駐車場に車をとめ、そこから基地直行バスに乗るしかない。

2005年、ジョージ・ワシントン大学にあるアメリカ国家安全保障文書館がスパイ偵察機U2プログラム関連の資料に対して開示請求を行い、2013年に情報公開法にのっとってすべての情報が開示された結果、CIAはエリア51の存在を認めざるを得なくなった。これは、エリア51がU2の開発拠点だったからにほかならない。

2023年の今、エリア51がかつての機能のまま使われているかどうかはわからない。4コーナーズ＝ユタ・コロラド・アリゾナ・ニューメキシコの4州が交わる点の地下に新しく建設された基地、あるいはコロラド州のどこかの山中の地下にある基地にすべての機能が移され、エリア52として出発したという話があるからだ。

秘匿性が極めて高い軍事基地だったため、まだ存在を公的に認められていなかった時代から墜落UFOの機体やエイリアンの死体、そして生きた状態のエイリアンが保管されているという噂が絶えなかった。

1989年には、エリア51で働いていたという物理学者ロバート・ラザーが地元ラスベガスのテレビ局KLASの番組に出演してインタビューに答えている。段取りを整えたのはジョージ・ナップというリサーチャーだ。この番組では偽名を使い、顔も映さない形でインタビューに答えたラザーは、S―4という部署でUFOの推進原理を研究し、墜落したUFOから得た技術をリバースエンジニアリングによって再現するプロセスに従事していたと語ったのだ。リバースエンジニアリングというのは、対象となる機械を分解したり、その機械の動作確認を行ったりして構造を分析し、製造方法や動作原理を調べていく過程を意味する。

インタビュー映像は同じテレビ局によって2019年に再公開されたが、ラザーが語っていた内容はほとんど本当だったという認識で受け止められている。実際、2023年に行われた下院の公聴会ではデビッド・グラッシュとライアン・グレーブスという元軍人がＵＦＯの存在について証言しているし、その少し前に医師でＵＦＯリサーチャーであるスティーブン・グリア氏がワシントンＤＣで行った大規模な記者会見では、数人の証人による証言と共に、ラザー氏が働いていたといわれているＳ―４の施設の内部がイラストで紹介された。リサーチャーたちの受け止めとしては、ラザーが少なくとも完全な嘘つきではなく、ある程度正確な情報を入手し得る立場にいたというコンセンサスができあがっている。

１９８９年のインタビューで、ラザーは〝地球外のテクノロジーで飛行する９機の空飛ぶ円盤〟に対する検証を加えていて、推進装置の解明に特化していたという。実は推進装置に興味を抱いた科学者がもう一人いた。アルバート・アインシュタインだ。

１９４７年当時アインシュタインの助手を務めていたシャーリー・ライト博士は、化学と物理学の博士号を取得した後にマイアミ大学などで教鞭をとっていた女性科学者である。プリンストン大学の学生だった１９４７年は、指導教授だったアインシュタイン博士の助手として働いていた。まだ存命中だった１９９３年に行われたインタビューで、ライト博士は次のように語っている。

「１９４７年にアインシュタイン博士に同行してロズウェルまで飛び、そこの飛行場の格納庫にあった墜落円盤の機体と乗組員の遺体を目の当たりにしました。アインシュタイン博士は空飛ぶ円盤の内部に入って、推進装置を探そうとしていました。こうした飛行物体の推進システムに大きな興味を持っていたようです」

軍部を巻き込んだアメリカ政府によるリバースエンジニアリングの源はこの出来事にあるのかもしれない。そしてロズウェルで生まれた集約的な研究プログラムの舞台として設定されたのがエリア51だったのかもしれない。

ラザーの証言内容は、時間の経過と共に信ぴょう性を増している感がある。2019年7月には、みんなで集まって基地に突入しようという呼びかけもあった。もちろん冗談だったのだが、145万人もの人たちが参加表明をして、真に受けた人が何人かエリア51周辺に実際に集まったという。

今は別の場所に移されている可能性が高いが、エリア51で始まったＵＦＯのリバースエンジニアリング研究はどこかで続行されていることは間違いない。陰謀論の枠組みの中では、それが事実となっている。物証はないものの、現実は陰謀論寄りで進んでいる気がしてならない。ＵＦＯ／ＵＡＰの分野、もっと絞ってエリア51に限るなら、これまで陰謀論と呼ばれていたものが正論になる勢いも否定できないのだ。

エリート層は爬虫類人間型のエイリアンばかり

この項目で紹介する話は、日本の普通の大人が聞いたら吹いてしまうにちがいない。しかし、欧米社会ではこうしたロジックがまかり通って陰謀論として定着してしまうのだ。そのプロセスを考えるきっかにもなると感じられたので、あえて紹介することにした。

どんな検索エンジンでもいい。〝Reptilian〟という単語を打ち込んでみてほしい。数えきれないほどのヒットが上がってくるはずだ。同じことを動画サイトでもしてみてほしい。こちらもかなりの数のビデオがヒットする。

2年くらい前からだろうか。〝ネットロア〟（SNSを中心としてサイバースペースで広がる都市伝説的な話）において**〝ゴム人間〟**（P．190コラム参照）が安定した検索ワードになっている。手足が自由に伸びたりすることではなく、ゴムの仮面をかぶっている人たちを意味する。そして往々にして、こういう人たちの例として挙げられているのは各国政府の要人だ。

Reptilian＝レプティリアンというのは、爬虫類型人類のことだ。トカゲ人間と言ったほうがイメージしやすいかもしれない。この言葉を最初に使ったのは、イギリスの陰謀論者デビッド・アイクである。レプティリアンは外見を変える能力を持つエイリアンであり、世界各国の指導層に紛れ込んでいると唱えた。

宇宙から来たトカゲ人間が地球の指導者層にいるというのはなかなか考えにくいシナリオだが、論拠がある。別項で紹介した**アイゼンハワー大統領とエイリアンの会談**（P．140参照）の際、りゅう座からやってきたレプティリアン（爬虫類型エイリアン）のクリルが同席していたという話はリサーチャーの間ではよく知られている話であり、少なくとも陰謀論者の間では違和感がない話として響いたはずだ。

1999年に出版された『大いなる秘密』（邦訳：2000年、三交社）で、アイクはレプティリアンの血脈が何千年にもわたって地球を支配し続けてきたと述べている。世界は今も、トカゲ人間が形成するエリート層によって支配されている。デビッド・アイクが立ち上げた陰謀論は徐々に勢いを増していき、やがては英国王室もレプティリアンの巣窟であるとされるまでになる。秘密結社イルミナティを陰から操る存在といわれていた時期もあったが、数年ほど前からはＱアノンやディープステートといったアメリカ大統領選挙の際にクローズアップされた新陰謀論と組み合わせられるようになった。

レプティリアン陰謀論が最も注目された時期のひとつとして、オバマ政権時代が挙げられる。この時行われた世論調査では、回答者の4％が「トカゲ人間が政治を操っている」と答えた。2013年3月にアップされたYouTubeのビデオは、オバマ大統領を護衛するシークレットサービスの中にもレプティリアンが紛れ込んでいるという内容で、再生回数は300万回以上になった。ネットロアにも言えるのだろうが、自分の目で確認できる情報は、陰謀論において強い発信力と拡散力を発揮する。同時に、かなりの説得力が感じられることも多い。

ここまで記してきて思うのは、それぞれの陰謀論が複雑な関係の中で絡み合いながら生き続けているという図式だ。要素が共有されていることもあれば、背景が共有されている場合もある。そして陰謀論に傾倒していく人たちは、〝世の中のほとんどの人が知らない真実〟を知っている自分に高い優位性を感じることが多い。

レプティリアンに話を戻す。彼らが地球を支配したがっている理由は何か。それは第一に金資源だ。金は、彼らにとってさまざまな形のエネルギーを生み出すための源となる。そして、レプティリアンが人間の負の感情に触れるとバイタリティあふれる状態になるという説もある。恐れや怒り、不安といった感情が目に見えない栄養になるのだ。こうなると、陰謀論という枠組みの中だけでは語り切れない、スピリチュアルな要素も含まれる話になってくる。

レプティリアンから派生する形で、リザードピープル（トカゲ人間）という陰謀論もある。こちらは地底人で、マインドコントロールテクノロジーを駆使して、政治からポップカルチャーに至るまで幅広くさまざまなグループに働きかけ、最終的には人間社会の管理を目指している。

地底人というコンセプトに関して言えば、ヴィクトリア朝のイギリスで活躍した小説家エドワード・ブルワー＝リットンが書いた『来るべき種族』（月曜社）という作品が無関係ではないと思う。地球内部に住む地底人の先進文明社会と人間との関係についての異世界物語だ。しかしこの話は基本的にユートピア指向なので、レプティリアン／リザードピープル陰謀論とは性格が根本的に違う。

冒頭でも触れたように、ゴム人間と組み合わせられたことを通して、デビッド・アイクを知らない世代に対してアピールすることになったのではないだろうか。別の項目で紹介している**地球平面説**（Ｐ．118参照）や**創造論**（Ｐ．126参照）など、まったく性格を変えないまま生き続けるものもあれば、新しい要素を次々と吸収しながらうまく変容させ、説得力の一部にしてしまう陰謀論もある。

極秘裏に進められるスーパーソルジャー計画

この項目で触れるスーパーソルジャーは、アニメや映画で活躍する超人的な能力を発揮するキャラクターとオーバーラップする部分がかなりある。本当に存在するかもしれないのだが、極秘プロジェクト／プログラムという言葉が加わるだけで、陰謀論的な響きがぐっと強くなるのが事実だろう。

スーパーソルジャーという概念は、湾岸戦争から**アルテミス計画**（P.134参照）まで数多くの陰謀論に登場する。ワード自体にも突飛な響きが否めないためすぐに却下されがちなのだが、角度を変えて見ると、さまざまな様相が浮き上がってくる。スーパーソルジャーに関しては、ランディ・クレイマーという人物にまず触れておかなければならない。

2000年までの経歴に関しては何も語らない。彼が話を始めるのは常に、17歳だった1987年のある夜のエピソードだ。自分の部屋で寝ていた時に窓の外に、まばゆい光が現れた。起き上がってよく見ると、戸口のような形をしていた。前に二人の男性が立っていて、そのうちの一人が「なにも恐れることはない。一緒に行きましょう」と語りかけてきた。彼は言葉に従って、光の中に入って行った。後になって考えると、これはポータル（次元間をつなぐ出入り口）だったようだ。

彼がたどり着いたのは、格納庫のような場所だった。兵士が何人か、そして年齢が同じくらいの男女が数十人ほどいた。そしてクレイマー本人を含め、その場にいた全員の視線が中央にある真っ黒な三角形の飛行機に注がれていた。ここまでで注目するべき点があるとすれば、まさにこの三角形の飛行機だ。日本を含む世界各国で目撃が相次いでいるTR-3Bアストラと呼ばれる最新型三角翼航空機を想起させるコメントだ。この航空機に関しては、飛行をとらえた映像がTikTokでもアップされている。

そしてクレイマーは、自分の遺伝子の組成が特別なものであると説明された。ちなみに、この〝遺伝子の特別な組成〟という言葉は陰謀論によく出てくる。数多くの陰謀論に関する文書を読み込んでいくと、共通するキーワードがいくつか見つかる。

彼はその場で軍部にリクルートされ、訓練を受けてスーパーソルジャーとなり、20年にわたって軍務に就いた。しかし駐屯していたのは、月面基地だったという。このあたり、別項の**月面秘密基地の話**ともリンクする（P．132参照）。陰謀論には、一つひとつの話の一部がリンクしながら別の話に流れて行くという構造がしばしば見られる。

任務は月面基地の防御、そしてスーパーソルジャーとしての訓練だった。スーパーソルジャーという存在の定義は、地球人類離れした運動能力――遺伝子の特別な組成があってこそ初めて可能となる――を有し、機械と肉体を融合して戦闘能力が極限にまで上げられた兵士ということになるだろうか。

この、機械と肉体を融合するというコンセプトは別の項目で触れた**トランスヒューマニズム**（P．122参照）に通じるところが感じられる。重ねて言うが、ここにも陰謀論の縦糸と横糸のつながりを見ることができると思うのだ。

現実に話を戻そう。2014年、とある記者会見でオバマ大統領がこう語った。

「私はアメリカがアイアンマンを創り出そうとしている事実をお伝えすることになった」

記者たちは笑ったが、オバマ大統領は真剣だった。当時すでに、軍部は「Tactical Assault Light Operator Suit」（＝TALOS：戦術的攻撃軽量オペレータースーツ）の開発に取りかかっていた。検索エンジンで調べていただきたい。スターウォーズのストーム・トルーパーあるいはモビルスーツの人間大バージョンといった外見の〝鎧〟だ。このとき、クレイマーの体験と逸話を思い出した人は少なくなかったはずだ。

そしてスーパーソルジャー陰謀論は、きわめて今日的な方向にスピンオフしていく。アメリカとも日本とも関係が悪くなっている中国が、独自のプログラムでチャイニーズ・スーパーソルジャーの創出を目指しているというのだ。そしてその方法は機械に頼るものではない。もっと根本的なレベルで取り組まれているようなのだ。２０１９年にアメリカで発表された学術報告書の中で、中国の軍部が遺伝子編集テクノロジーをスーパーソルジャー創出に応用しているという〝事実〟が明らかにされている。

２０１８年、中国の遺伝学・生物物理学者、賀建奎《がけんけい》博士が遺伝子編集ベビーを誕生させた。双子の女の子の胎児のＤＮＡを編集し、ＨＩＶへの耐性を人工的に高めたのだ。２０２０年1月の報道では倫理面の問題から逮捕され、3年間の実刑判決を受けることになったのだが、陰謀論者たちの見方は違う。スーパーソルジャー創出の実質的なスタート地点を作ったことにより、英雄的な扱いを受けているに違いないという見方がコンセンサスになっている。

陰謀論の中に盛り込まれる事実を考えると、それほど無理な話ではない。スーパーソルジャー陰謀論で不透明な部分があるとすれば、それはクレイマーのＤＮＡ組成が特別なものだったという部分くらいではないだろうか。ただ、その部分はその後トッピングされていく〝事実〟によって完全に相殺されてしまう。だからこそ完全に否定できないし、何かがきっかけになって傾倒し、気がつけばハードビリーバーになってしまうのだ。

アポロ11号の月面着陸はウソだった

1970年に開催された大阪万博では、アメリカ館の月の石が大人気のアトラクションとなった。物証があって、それを見た人もいるのだから反論の余地などなさそうに感じられるのだが、そういう話に限って大きなスケールの陰謀論が生まれ、長い間語られていくという事実があることを忘れてはならないようだ。

陰謀論というのは、正反対の内容の複数の話が並存しながら語り続けられるということが珍しくない。ここで紹介する話は、まさにそういうジャンルの代表格ということになるだろう。この章の別項目で示した**NASAと月面秘密基地**（P．132参照）の対抗陰謀論というようなニュアンスで読み進めていただきたい。

アポロは月に着陸していない――いわゆるアポロ月着陸陰謀論は、月面着陸に関するアポロ計画の一部あるいはすべてがNASAによる捏造であるとする考え方だ。NASAの単独犯ではなく、おそらくは〝共犯〟の機関があったとされる。1969年から1972年にかけて行われた6回の月面着陸はすべて仕組まれた芝居であり、宇宙飛行士たちは実際には月にはおらず、砂漠の中やスタジオに作られた月面のセットで撮影が行われ、それが放送されたという。

第三者機関による状況証拠も豊富にあり、月面着陸を疑う余地はないように思えるのだが、地球平面説と同じく、過去40年間で完全に消えたことはなかった。アメリカ各地で行われた調査では最低で6％、最高で20％もの人々がアポロ月着陸陰謀論を信じているという結果が出た。

この陰謀論には、大きく分けて5つの核がある。

●月面に立てられたアメリカ国旗が風にたなびいているように見える。

●背景のどこにも星が見えない。

●着陸船や宇宙飛行士の影の位置がおかしい。

●アームストロング船長のカメラが見えない。

●キューブリック監督がこの〝作品〟を撮影した事実を暴露した。

すべての始まりは、ビル・ケイシングという男が自費出版した『人類は月に行かなかった…アメリカによる30億ドルの詐欺』という小冊子だった。アポロ計画について知ったケイシングは、〝なんとなく〟すべてが仕組まれたことなのではないかと感じたらしい。そしていろいろ調べて行くうちに、直感で始めたことに確信が芽生え始めた。ケイシングは1956年から1963年まで、サターン5ロケットを設計したロケットダインという企業で働いていた。長い間語り継がれることになる小冊子を発行したのは、1976年だ。

陰謀論自体が生まれたのは1969年だったが、陰謀論としての成熟期を迎えたのは、小冊子が発表された1976年だったと言っていいようだ。この時生まれた熱狂的な信者の思いが、2020年代の今も生き続けている。

そして今、YouTubeや各種SNSを舞台に活躍するまったく新しい世代の陰謀論者たちが、新しい時代のアポロ月着陸陰謀論拡散の媒体となっている。

かつてNASAの記録関係部署で働いていたロジャー・ローニウスによれば、この陰謀論は特にインターネットの力を得て勢いを増した。それに、陰謀論が大好きなアメリカ人の気質も大きく関係している。何か大きな出来事が起きると、まさに対抗神話的に何らかの話が生まれる。

きわめて具体的なエピソードが存在するのも、この話の特徴のひとつとして挙げられる。先に紹介した5つの核のうち、最も有名で〝説得力がある〟とされているのが、スタンリー・キューブリック監督が月面着陸の映像を制作したという話だ。この話は、最初の着陸後1年ほど経過したところで拡散し始めた。当時はベトナム戦争の真っただ中で、一般国民の政府に対する不信感も陰謀論の拡散に役立ったはずだ。

1970年に行われた意識調査では、30%のアメリカ人はアポロ11号計画がフェイクだったと信じているという結果になった。そして1978年に公開された『カプリコーン1』（偽の火星有人ミッションがテーマの映画）が陰謀論としての地位を確定させ、生命力を与えた。

5つの核には他の話もあった。ひとつずつ解明しておこう。アームストロング船長が月面に立てたアメリカ国旗が波打って見えるのは、船長が金属製のフレームを曲げたため、その衝撃が伝わって旗の表面にさざ波状の模様が生まれたに過ぎない。背景に星がまったく写っていないのは、月面上で使われていたカメラのレンズでは、遠くで瞬く星のきらめきをとらえられなかったからだ。着陸船が設置した時に埃が舞い上がらなかったのはなぜか、という陰謀論者の質問も多い。着陸船は移動時間のほとんどを水平方向で動いていたため、ジェット噴射器が下を向いていなかった。

こうした〝純〟科学的とは言えないレベルの理由からも、ごく普通に考えれば月面着陸は事実だ。それでも、人類は月に行っていないと言い切る人たちがいる。いや、ひょっとしたらいるだけではなく、過去数年に限って言えば絶対数が増えているかもしれない。

食糧はエリートたちのもの──昆虫食陰謀論

Column 05

〝エントモファジー〟──昆虫食の可能性を探るプロセスは着々と進んでいる。2022年11月に徳島県の高校でコオロギパウダーを使った給食が提供され、賛否両論の大きなうねりが生まれるきっかけとなった。トレンドを先取りした昆虫食がコンセプトのレストランも想像以上の数が存在する。検索をかけると、かなりの数がヒットする。

虫を食べるか。食べないか。いつか必ず訪れる食糧難時代の先駆けの議論ではあるものの、すでにさまざまな方向性への展開が生まれている。そのひとつは、言うまでもなく陰謀論だ。それは、すでに世界レベルになっている。

この話題を特に声高に知らせているのは、ヨーロッパ各国の右派政治家たちのようだ。核となる部分をごくざっくり言ってしまえば、エリート階層が自分たちで消費する食糧を確保するため、〝一般人民〟には昆虫を食べさせることを決定したという内容だ。時を同じくして、FDA（アメリカ食品医薬品局）が〝ごく少量〟であれば食品に昆虫由来成分が含まれても問題はないとして、これを認可した。陰謀論の枠組みの中では、これが実質的な昆虫食のゴーサインとして受け取られている。

支配層は昆虫食を推し進めている──今やこれがコンセンサス化していると言っても過言ではない状況が生まれている。2022年1月に、「昆虫が人間の食物連鎖システムで大きな地位を占めるべき理由」というプロパガンダめいた主張もブルームバーグ経由で発信された。

そんなに話題になっているのなら、もっと大きく定期的な報道がないのはなぜか？　ごく普通に生まれるだろうこうした疑問に対し、陰謀論者はこう答えるだろう。

「支配階級は、事実を絶妙なタイミングと分量でリークしているからだ」

最新のトレンドとしては、昆虫食が人口削減にも役立つ方策であるという要素も盛り込まれている。陰謀論の〝事実と事実を結び付けるリンク〟として機能する部分は、まさにこういうところにあるのではないだろうか。

いずれコオロギやバッタがごく普通のおかずとして食卓に並ぶ日が来るかもしれない。ただ今は、絶対的な肯定も絶対的な否定もできない。

【第六章】

日常生活に潜む陰謀論

事件や災害で被害者を演じるクライシスアクター

2021年10月31日、コロナ禍のせいで例年よりかなり地味だったハロウィーンの夜。東京の新宿と八王子を結ぶ京王線で起きた凄惨な事件を覚えていらっしゃるだろうか。ハリウッド映画『ジョーカー』を彷彿とさせるコスチュームの男が、走行中の電車の中で乗客の男女を無差別に次々と切りつけ、ライターのオイルを撒いて火を放った。逃げ場がない空間で起きた凶行の映像は瞬く間に拡散した。事件発生直後は犯人についての報道が多かったが、しばらく経つと、ネット上にアップされている動画が別の意味で注目を集めるようになる。複数の〝有名人〟が映っているというのだ。著名人とか芸能人という意味ではない。〝見る人が見れば〟あるいは〝知っている人には見慣れた〟人たちが映っていた、というニュアンスだ。

クライシスアクターという言葉が使われるようになったのはいつ頃からだったろうか。ワイドショーや情報バラエティー番組の中で流れる取材映像に登場する、一般人を装ったプロの役者を意味する言葉だ。まず挙げておきたいのは、こうした人々がジョーカー男事件関連の動画に数多く登場しているという都市伝説的な話の存在だ。映像に不審な点が多すぎる」「他の事件映像でも見た人がいる」「乗客の中に、日本を代表するクライシスアクトレスがいる」――ネット上は、そんな声であふれかえった。

欧米ではアクター・ペイシェントあるいはアクター・ビクティムという名称も使われていて、そもそもは消防や警察の訓練などで被害者や犠牲者を演じるボランティアという意味だ。ところが今は日本でも欧米でも、もっぱら〝やらせ動画〟を作るために自ら進んで陰謀に加担する役者という意味になっている。

英米では、タラ・ジェーン・ラングストンという女性がクライシスアクターに半ば認定されている。ロンドン在住の30代女性で、2020年3月、呼吸器をつけながら苦しそうに新型コロナウイルス感染の危険性を語るインタビュー動画が世界中で流れた。基礎疾患はまったくなかったが、あっという間に重症化したことを語っていた。

しかしこの映像公開直後、クライシスアクターの存在を確信する人たちから疑念が投げかけられた。命の危険にさらされているのにきれいにマニキュアをしているのはなぜか。これをきっかけに、陰謀論者による徹底的な身辺調査が始まった。そしてこのタラが、以下の重大事件のニュース映像にも登場していた〝事実〟が明らかになる。

●2012年7月20日、アメリカ、コロラド州オーロラの映画館で起きた銃乱射事件。バットマンシリーズの『ダークナイト・ライジング』上映中に事件が起き、死者12人、負傷者が58人。

●2012年12月14日、アメリカ、コネティカット州ニュータウンのサンディーフック小学校で起きた銃乱射事件。20歳の男性が小学校低学年の子ども20人と職員の女性6人を射殺。
●2013年4月15日、アメリカ、マサチューセッツ州でボストンマラソン開催中に起きた爆弾テロ事件。3人が死亡し、負傷者が282人。
●2015年11月13日、フランス、パリ市街とサン=ドニ地区の商業施設において、イスラム原理主義グループのテロにより、死者130人、負傷者300人以上。
一人の人間がこれだけ多くの有名事件にたまたま居合わせることはほとんど不可能だ。ならば、この奇妙な偶然の背景にあるものは何なのか。

そして2022年、陰謀論にさらに新しい要素が加わった。ロシアのウクライナ侵攻だ。ロシアは侵攻作戦の一部として偽旗作戦を積極的に展開している——アメリカ政府関係者が、『ワシントンポスト』紙に対してそんな話を意図的にリークしたという噂がある。2022年2月中旬の時点で、ロシアによる偽旗作戦はホワイトハウス内のシチュエーションルームで行われる会議の中心的話題になっていたという。

この会議を受け、バイデン大統領はウクライナ国内にいるアメリカ人に対する帰国勧告を決めたらしい。バイデン政権は、ロシアがウクライナ東部において特殊部隊による軍事作戦を展開することを早い時期から予測していた。行動の本質は偽旗作戦で、ウクライナ東部に住む多くのロシア国民までをターゲットにして遂行され、すべての被害をドンバス州に拠点を置くネオナチ的な勢力のせいにすることが目的だった。ドンバス州に住む自国民を邪悪なネオナチ勢力から守るために立ち上がる。ロシアが仕組んだウクライナ侵攻のプロローグは、こうした背景から生まれた。

ロシア軍の攻撃が勢いを強める中、さまざまな映像が公表された。爆撃で命を落とした人たちの遺体が動いたとか、爆撃を受けた産婦人科病院に入院していた女性がまったく別の都市でインタビューを受けていたとか、ウクライナ側に不利になるようなものの存在も確認されている。ただ、それもロシア側が意図的に制作して「クライシスアクターを使って事実をゆがめようとしているのはウクライナ側である」というプロパガンダの証拠であるという説も根強い。

侵攻開始からかなりの時間が経過している。今年中には何らかの形での終結が訪れるという声もあるが、クライシスアクターが本当に存在するなら、彼らの動向も含めてまだまだウクライナからは目が離せない。

遺伝子組み換えテクノロジーと昆虫兵器

遺伝子組み換え作物とか、遺伝子組み換え食品に関する陰謀論はここ10年ほどでかなりの勢いを得たのが事実だ。一部の化学関連企業が不利な科学的データを隠蔽し、ものごとを自分たちの思い通りに進めて行くため、業界各社から〝持ち回り〟のような形で政府機関に人員を配置し、既得権を守りながら国民を健康被害にさらしているという話が根強く語られている。このジャンルの陰謀論は特に進化のスピードが速い。遺伝子組み換えの対象は、植物から生物へ広がりつつあるというのだ。

Oxitec（オクシテック）というイギリスのバイオ企業がある。雑草とか害虫駆除に関する斬新なテクノロジーで有名なのだが、2021年に遺伝子を組み換えた蚊の開発に成功している。これは、感染症を媒介するネッタイシマカの駆除が目的で開始されたプロジェクトだ。オスの蚊に対して遺伝子組み換えを行い、メスに対してのみ効果を発する〝致死遺伝子〟を組み込む。そのオスの蚊が野生のメスと交配して生まれる子供世代のうち、メスはこの遺伝子のために幼虫のうちに死ぬ。オスは育って成虫となり、致死遺伝子を抱えたまま交配を繰り返すため、結果として野生のメスの絶対数が減る。

そして、この〝遺伝子組み換え蚊〟が2021年にフロリダとテキサスで散布された。おそらくは実証実験だったのだろう。実験は成功だったと思われる。2022年3月、EPA（アメリカ環境保護庁）がオクシテック社に対して遺伝子組み換え関連研究の2年間の延長を認めたからだ。

しかし2023年9月8日、CDC（アメリカ疾病予防管理センター）が過去2カ月でマラリア感染を8例確認したという報告を行った。2カ月で8例というペースは20年ぶりだという。ちなみに8例の内訳は、フロリダで7例、テキサスで1例。これを見る限り、オクシテック社による遺伝子組み換え蚊プロジェクトとは無関係であると見るほうが難しいだろう。

そして、陰謀論的なバックストーリーの存在も忘れてはならない。DARPA（アメリカ国防高等研究局）が昆虫生物兵器化プロジェクトを進行させているという話がある。植物に病気を引き起こすウイルスに感染した大量の昆虫を忍び込ませ、自然発生としか思えない形で蔓延させる。大量殺りく兵器のような即効性は期待できないものの、かなりの効果が見込めるはずだ。

DARPAでインセクト・アライズ・プログラム（昆虫同盟プログラム）が開始されたのは2016年だ。出発点は、昆虫を介してアメリカ国内の農産物に保護遺伝子を拡散する技術の開発だった。保護遺伝子によって守られれば、国内の食物生産量が上がり、食料自給率も上がる。しかも媒体となるのが昆虫なら、完全にエコで自己完結的な方法だ。

しかし、ドイツのマックス・プランク進化生物学研究所のリチャード・ガイ・リーブス博士は、インセクト・アライズ・プログラムの〝明らかにされていない部分〟について警鐘を鳴らした。DAPRAが本気で取り組んでいるのは、昆虫の武器化だというのだ。

アメリカ国内ではかつてミツバチの生息数が激減し、その原因解明のためにマイクロチップを装着した個体を放ち、行動を記録するというプロジェクトが行われたことがあった。このテクノロジーを偵察活動に活用しようという動きもあった。極小カメラをミツバチやハエに装着して対象施設や地域の近くで放てばいい。しかし昆虫はアトランダムな行動をするので、何らかの形での制御が必要だ。そちらの方向での検証と研究開発も進められたが、ドローン技術の進化が著しく、本来の目的である偵察活動に昆虫を使うという方法論は事実上なくなった。

ただ、比較的長く続いたプロジェクトで蓄積されたノウハウを最大限に活かしていく方法を模索する過程で、遺伝子組み換えテクノロジーと昆虫の組み合わせという新しい方向性が生まれたという見方が正しいようだ。

武器として使うためには、アメリカ国内で作物の保護のために打っている方策の正反対を行けばいい。前述の通り、敵国で植物の病気を蔓延させることもできるし、たとえばイナゴのような昆虫を使えば草原を丸裸にすることもできるだろう。複数の昆虫を組み合わせて使えば、既存の植物を根絶やしにして、次の世代が育たないように仕向けることもできる。

もちろんDARPAはリーブス博士のコメントをすべて否定している。インセクト・アライズ・プログラムの透明性も強調しているが、そもそもどの程度が公開情報となっているのかは当事者しかわからない。

昆虫の武器化は、一般人が想像するよりもはるかに進んでいる。陰謀論の枠組みの中では、それがすでにコンセンサスになっている。われわれ一般市民がまったく知らないところで何かが進んでいるのかもしれない。ただの陰謀論として聞き流すのか、それとも一歩踏み込んだ情報として受け止めるのか。どちらにしても、事態は刻々と進んでいるのだ。

意図的に創られた偽記憶——マンデラ効果

マンデラ効果とは、多くの人々が実際には起きなかった出来事に対する明確な記憶を有している、あるいは重要な出来事や事実を明らかに間違った形で記憶している状態を意味する。転じて、世界レベルで多くの人々がFalse Memory＝虚偽記憶を常識や史実として受け入れている状況を説明する際にも使われる。

マンデラ効果という言葉を生み出したのは、超常現象研究家のフィオナ・ブルームという人物だ。専門分野は心霊現象で、著書も14冊出している。彼女が2009年の「ドラゴン・コン」（SFとゲームの見本市）に出展者として参加した際、信じられないくらい多くの人がマンデラ氏の死について記憶違いをしている事実に気づいた。しかも、記憶違いの内容まで一致している。

ブルーム自身にも、ネルソン・マンデラ氏（1918～2013）の死を伝えるニュース映像や新聞記事が鮮やかな記憶として残っていた。しかしマンデラ氏は当時まだ生きていたので、世界中を駆け巡ったはずのニュース映像など存在しえなかった。彼女を含む多くの人々が、起きてもいないことを史実として認識していたのである。

この現象に関する仮説はさまざまあるが、有力なのは〝パラレルユニバース説〟と〝意図的に埋め込まれる偽記憶説〟である。パラレルユニバース説よりも有力な論拠となりえるものがあると感じられるため、ここでは後者について掘り下げていきたい。

多くの人々が記憶違いをしていたのは〝1980年代のマンデラ死去〟だけではなかった。こう言おう。いかなる時代区分においても、さまざまな分野においてマンデラ効果的な事例が存在することがわかったのだ。史実とまったく違う記憶を事実として認識している人は、後を絶たなかった。

たとえば、1989年の天安門広場事件では戦車にあらがったデモ隊の人が戦車に轢かれたと言い張る人がたくさんいた。こうした〝事実〟は学校で教わったと主張する人も含まれていたくらいだ。マンデラ効果の実例をもう少し紹介しておこう。
●ボードゲーム「モノポリー」のロゴのおじさんは、片眼鏡をかけている。
●1998年スタートの大ヒットドラマのタイトルは、『セックス・イン・ザ・シティ』である。
●ピカチュウの尻尾の先端は黒い。
●ミッキーマウスはサスペンダーを愛用している。
●映画『フォレスト・ガンプ』の名セリフは「Life is a box of chocolate」である。
事実は、いずれも「ノー」である。「そんな取るに足らないことがマンデラ効果なのか」と思う人もいるにちがいないし、もちろんこの程度の事例が現象の本質ではない。こうした取るに足らないことの何歩か先に、マンデラ効果がインターネットを媒体とした心理操作であり、新・集団的無意識あるいは代替現実を創出するプロセスであるとする陰謀論が存在する。マンデラ効果の向こう側にあるのは、意図的に生み出した代替現実の中に人類の意識を閉じ込めようとする計画かもしれないのだ。

「個人の鮮明な記憶の内容が、事実や史実と著しく反する状態に起きるもの」――マンデラ効果について、ブルーム自身はこう語っている。こういう言い方をしたこともある。

「ある事実に関する、同期しない記憶が、実際は起きていない出来事につながってしまうのは、パラレルユニバースと呼ばれるものの作用を受けるからだ」

いかにも超常現象研究家らしい解釈といえなくもない。ただ、ＡＩという要素を組み入れると、ものごとの見え方がまったく違ったものになる。

ＡＩが自ら考え、何の疑いもなく誰もが利用する検索エンジンをプラットフォームにして、特定の意図を多くの人々に刷り込もうとしたらどうだろうか。あるいは、そう遠くはない将来の時点でそういう過程を成功させるための実験を行っていたとしたら……。マンデラ効果というのは、AIによって生成されたまったく新しいタイプのアバターのようなものなのかもしれない。

それが検索エンジンに組み込まれ、サブリミナル効果を通して不特定多数に対して働きかけられたとしたら、マンデラ効果というものは過不足なく説明できる。

自ら進化したAIが意図的にマンデラ効果を生み出しているのか。それとも、誰かがAIを使ってマンデラ効果を管理・操作しているのか。

検索エンジンがない日常生活を想像できる人がいるだろうか？　ただ、その必要不可欠な検索エンジンを実際に動かしているのがこれまでになく洗練されたAIだとしたら？　そしてそれが意図的に人類史の改ざんを試みているとしたら？　遠大なプロセスは、静かにそして密かに、取るに足らないと思われる〝記憶違い〟という感覚を足掛かりにして進行しているのかもしれない。われわれにとって、はっきりとした形で意識できないものに対する対抗策はあるのだろうか？　まだできることはあるのだろうか？

確実に答えを知っているAIは、何も知らない人類に冷ややかな視線を向けているのかもしれない。

ソーシャル・エンジニアリングと行動デザインテクノロジー

1979年の春から夏にかけ、日本中の小中学生を中心とした世代に爆発的に流布した口裂け女の話。〝都市伝説〟という言葉がまだ定着していなかった時代の出来事だ。そもそも岐阜県内で語られていた噂が発端であるといわれているが、今もさまざまな検証が行われている。2007年に口裂け女をモチーフにした映画が制作され、以来同じテーマの作品が3本作られている。

日本人にとってはアイコニックな都市伝説キャラとして知られている口裂け女なのだが、本質に関する興味深い考察がある。CIAが日本社会を舞台にして行った大規模な世論操作実験だったというのだ。目的は、奇妙な噂を意図的に流してそれが日本全国に行き渡るまでの時間を測定し、同時にどのような影響が出るのかを確かめることだったという。

筆者が最初に注目したのは、2016年にアメリカで出版された『Spooked: How the CIA Manipulates the Media and Hoodwinks Hollywood』という本だ。アメリカでは、エンタテインメント業界やマスコミを通して世論操作が行われる話が昔からあった。この本はその種の話の数々に深く切り込み、掘り下げていくという趣の一冊だ。CIAが関わったことが明らかになっている世論調査プロジェクトの一覧表も示されている。

CIAによる世論操作の起点として紹介したいのは、1951年の「オペレーション・モッキンバード」だ。この目的は、アメリカ国内のメディアに反共産主義的メッセージを浸透させることだった。当時のCIA副長官アレン・ダレスの右腕だったフランク・ウィズナーが実働グループのキープレイヤーとなり、『ワシントン・ポスト』紙やアメリカ三大ネットワークのひとつであるCBSに積極的に働きかけた。この時に構築された仕組みが、今も続くソーシャル・エンジニアリングの基礎となったと考えてよさそうだ。

ソーシャル・エンジニアリングとは、〝政府あるいは特定の政治団体が、大衆の社会的な態度や行動に影響を及ぼす過程〟にほかならない。中核に据えられる媒体はエンタテインメントだが、それはもう昔の話だ。今の時代はテレビや映画以上にネット関連メディアのほうが効率的なツールとして認識されている。スマホを媒体にして働きかけることができるネット関連メディアは、朝起きた瞬間から夜眠るまで関わり続けることができる。

『Spooked: How the CIA Manipulates the Media and Hoodwinks Hollywood』によ

れば、CIAは長年にわたってさまざまなニュースを生み出し続けてきた。アイゼンハワーおよびケネディ政権で5代目長官を務めたアレン・ダレスは、『ニューヨーク・タイムズ』や『ワシントン・ポスト』、『タイム』、『ニューズウィーク』、そしてCBSなどアメリカ国内主要メディアの社主を集めて毎月豪華な食事会を開催し、国民に〝何を伝えるべきか〟について意見を交換し合っていた。

すべての要素を把握することは不可能なのだが、最大公約数的な部分だけでも抑えておけば失敗が少ない。その最大公約数的部分というのが、アメリカ国内のポップカルチャーおよび口伝機能を司るマスメディアに対するCIAの影響力なのだ。もう少し踏み込んで言うなら、たとえば歴史的な出来事であっても〝時の中央権力の目的に沿うような形で見せていくプロセス〟ということになるだろうか。

2000年および2004年での選挙違反の隠蔽。アフガニスタンおよびイラク侵攻。シリアの政情不安定。ISISの誕生。ほとんどのアメリカ人は、こうした歴史的な事件の本質を知らないまま過ごしている。さまざまな情報とコミュニケーションテクノロジーが氾濫する現代社会においては、多くの人々に〝知るべきことは知らされている〟〝必要な情報はもれなく手に入れている〟と思わせることが大切だ。なぜこうした状態が続くのか。そうしておいたほうがよいと思う人々が存在するからにほかならない。こうしたプロセスを経て、ロジックがしっかりした陰謀論が生まれる。

〝ハック&リーク〟というテクニックがある。特定のデータやデリケートな性質の情報を盗み出し、目的に応じた操作を加えた上で広める方法だ。国民的論議を生み出したり、ものごとを起こす原因や起きていく過程に影響を与えたりすることができる。ターゲットとなるネットワークに対して違法なアクセスを行い、必要なデータを得て目的に沿った改変を加え、主としてデジタル由来の手法を用いてメディア操作を行った上で世論の方向性を意図的に変えていくプロセスだ。

スマホを手放すことができない今、絶え間なく送られている情報にハック&リーク的なものが大量に含まれていることは想像に難くない。悪しき情報は避けたほうがよいに決まっているのだが、今の時代は、ごく普通に生きている限りそういうことができるライフスタイルは実現不可能なようだ。

NWOの進化系?――OWO

過去20年ほど、陰謀論界隈ではごく当たり前のボキャブラリーとして使われてきた〝NWO〟(ニューワールド・オーダー=新世界秩序)という言葉が一般化したきっかけは、1990年9月11日――この日付にも禍々しいシンクロニシティを感じる――、ジョージ・H・W・ブッシュ(パパブッシュ)が湾岸戦争前に議会でおこなった演説だった。「今この瞬間、アメリカ軍兵士は新世界秩序の夢、そしてその原則を守るためにアラブ民族、ヨーロッパ民族、アジア民族、そしてアフリカ民族と共に軍務に就く」

以来国際政治の表舞台では、たとえばネオ・コンサーバティブなどの政治的テクニカルタームと組み合わせる形で広まることになったわけだが、陰謀論の枠組みの中に限ったニュアンスとしては、〝一部のエリートグループが世界支配をするための新しい仕組み〟という受け取られ方をしていたのが事実だ。さらにフリーメイソンやイルミナティなどのイメージと重ねられ、おどろおどろしい形で展開する数々の陰謀論のキーワードとなった。

そして今、ニューワールド・オーダーに変わる〝OWO〟(ワンワールド・オーダー)という新しい言葉がネット上でやりとりされている。新世界秩序を経た上での単一あるいは唯一の体制という響きが感じられるものにほかならない。

コロナのパンデミック直後から盛んに語られるようになったグレート・リセット（P.020参照）という新しいコンセプトは、これまでNWOという言葉で表現されていたものがコロナ禍を経て〝完成〟する状態にほかならない——そんなことを主張する人たちがいる。コロナ禍が体制としてのNWOからOWOへの過渡期だったというのだ。

まず大前提として挙げておきたいのは、NWOとOWOの一番の違いがデジタルテクノロジーであるとされている点だ。言葉を変えて言うなら、すでに基盤として構築されているNWOのあらゆる分野にデジタルテクノロジーを乗せていく過程がOWO確立への道ということになる。

そして、これまでに存在してきた陰謀論と同じく、一つひとつを実現するための巨大なマシーンとして機能するのは国連であるとされている。グレート・リセットは、国連をエンジンとして推進される全世界レベルのプロジェクトであるというのだ。そのために、国連はインターネット網の完全管理を狙っているとする説もある。

国連とNWOが一体という陰謀論は昔からあったけれども、今は管理の方法論を完全デジタル化するという方向性で話が進み、OWOによって完全な体制が構築されようとしている。「デジタル・ワールド・ブレイン」と名付けられたシステムですべての事象とすべての人間の管理を目指す。これについては、2019年に取りまとめられた『The Age of Digital Independence』という報告書にまとめられている。

コロナ禍の非接触決済で一気に加速した電子決済は、ごく当たり前の日常の一部となった。スーパーでもコンビニでも、現金で支払っている人のほうが少ない。こうした状況の中、新経済システムの中核として中央銀行デジタル通貨の導入が近いといわれている。このシステムが稼働し始めたら、世界経済のすべてがごく一部のエリート層のものになってしまう。そのさきがけとなるのが、中央銀行デジタル通貨創設についての大統領令14067号だ。ひと言で言えば、OWOはデジタル技術による全体主義の具現化にほかならない。主義の具体的な名称こそ異なるものの、こうした枠組みは、日本のごく近くにある国ですでに確立している気がする。

もうひとつ、ぜひ触れておきたい事実がある。ジョージア州エルバート郡のエルバートンという小さな町にあった「ジョージア・ガイドストーン」という立石のモニュメントをご存じだろうか。1980年に建てられ、〝アメリカのストーンヘンジ〟と呼ばれていたのだが、2022年7月6日の未明、何者かによって爆破されてしまった。

4つの古語と8つの現代語で人類保存のための10か条（ガイド）が刻まれているガイドストーンに対しては、新世界秩序の象徴であるとか、世界政府設立への具体的なマニフェストであるという見方が根強く残っていた。アメリカ国内でハードな陰謀論者として知られるアレックス・ジョーンズは、ガイドストーンがＮＷＯによる計画の存在証明だったと考えていた。

「構造そのものが持つ意味を考えてほしい。ＮＷＯ思想の象徴的建造物であることは間違いないが、最も大切な要素は、それが発するメッセージだ。形があるものをあえて壊すことで、メッセージが広く伝わることを狙ったのかもしれない。つまり、今回の事件の本質はＮＷＯの自作自演と考える」

自作自演という言い方は、最初の地ならしが終了したことを意味するのかもしれない。ＮＷＯの体制はすでに完成し、それを進化させたＯＷＯ時代の幕開けが訪れた。ジョージア・ガイドストーン爆破事件は、そういう歴史的な意味合いが込められている――そう考える陰謀論者の数は、決して少なくない。

シンギュラリティまであとわずか——AIによる人類支配

日本時間2016年11月9日午後。テレビやネットで、世界的イベントといえるアメリカ大統領選挙の開票速報をリアルタイムで見守っていた人はかなり多くいたはずだ。そして時間の経過とともに、アメリカ3大ネットワークのキャスターたちの声が、心なしか張りを失っていくことに気づいた人もいたに違いない。

まさかドナルド・トランプ候補が大統領になることなどない——大多数の人がそう思っていた。しかし、その〝まさか〟な展開の闘いに勝ったトランプ大統領は、世の中にさまざまな形のインパクトをもたらし、本書の執筆中である2023年10月の時点で、訴追中の身でありながら、2度目の大統領選挙当選を実現させようとしている。まず考えたいのは、2016年の大統領選挙におけるトランプ候補の勝利は本当の意味で〝まさか〟だったのかということだ。

2017年1月20日の就任式を迎えると、「なぜトランプ大統領が生まれることになったのか」「トランプ大統領誕生を決定づけた理由は何か」という議論が盛んになりはじめた。民主党の牙城だった〝ラスト・ベルト〟（ペンシルバニア、オハイオ、ミシガン、ウィスコンシン各州）での勝利。意外に高かったマイノリティー人口からの支持率。そしてヒラリー・クリントン候補の国務長官時代の私用メール問題。

勝利へつながる目に見える形の要素もさまざまあった。しかしそんな中、トランプ氏は〝意図的に生み出された大統領〟であるという説が囁かれ始め、時間の経過と共に説得力を強めていった。やがて、決定的な出来事が起きる。別の項目で触れている熱烈なトランプ支持層〝**Qアノン**〟の誕生だ（P.024参照）。

Qアノン現象そのものを陰謀論として見る人たちがいる一方で、少し前から、Qの正体は超高性能AIだったのではないかという説が浮上し始めている。ただ、事実はそう単純ではなさそうだ。トランプ大統領はAIによるSNSを通じた世論操作によって生み出されたとの意見は根強い。こうした見立てをするのであれば、トランプ大統領を生み出したのはQを名乗るAIにほかならないということになる。

AIがSNS経由で拡散する情報が大統領選挙の結果まで左右するとなれば、社会にもたらす影響がきわめて大きいことはいうまでもない。ただ、こうした形で世論が形成されていく過程はすでに普通のことだと受け止めるのが正しいかもしれないのだ。

いわゆるネット世論をリードする〝支配者〟がいたとしたら……。個人レベルで自由に情報をやりとりできる現状を利用し、ネット経由で世論を特定の方向に持っていこうとするものが存在したら……。そして支配者の座に就いているのがAIだったとしたら……。ＳＮＳを通じて世論を操作し、人間を使うＡＩ。計算しつくされた内容の投稿を計算しつくされたタイミングでアップし、大統領選挙の結果にも影響を与えるＡＩ。Ｑが洗練されたＡＩであるとする説も、決して無理ではないと思えてくるのだ。

軍事利用というさらなるアプリケーションへの転用が模索されている事実も見逃せない。２０１９年3月25日、スイスのジュネーブでとある国際会議が始まった。「ＡＩを搭載した新型兵器を議論する」というテーマだ。この会議では、ＡＩ兵器の規制を巡り、米国をはじめとする軍事大国と、発展途上国の意見対立が明確になった。この会議についても、どうしてもうがった見方をしてしまう人たちがいる。

膨大なデータを蓄積したＡＩは、特定の情報によって最大の効果を得られるタイミングを算出することが可能だ。そしてそれを基にネット世論を構築し、やがて実社会での世論に生まれ変わらせる。ＡＩが紡ぎ出した以下のようなシナリオでことが進んでいるような気がしてならないというのだ。

多くの人々が〝させられている〟とは気づかずにその情報に惹きつけられ、さらされることで〝自分自身の考え〟と認識し始める。デジタルな手法による新世界秩序、いや、新仮想秩序的システムの構築も不可能ではない。しかも、こうしたシステムの存在は、誰もが否定するだろう。すべての人が、自分の行動は自ら選んだものであると信じて疑わないのだから。いや、現状はもっと深刻かもしれない。そもそも、SNS世論を形成しているのは、かなり前から人間ではなくAIだった可能性が高いのだ。

２０４５年、AIの機能が人間の脳の働きを超える〝シンギュラリティ〟（技術的特異点）が訪れるとされている。この時に何が起きるのか。約20年後のことだが、今のわれわれには想像もつかない。いや、想像がつかない――つかなかったという言い方のほうが正しいだろうか――現状はすでに訪れている。誰も気づいていないだけなのだ。陰謀論者はそう考える。

ネット及び実社会での世論形成から外交政策、そしてたとえば仮想敵国との開戦といった高度な政治的判断までこなすAIの関与が大きい社会は、もはや人間のものではない。AIに支配されている社会が人間のものであるわけがない。QとQアノンによって端的に示されるように、人間の想像をはるかに超えるところまで進化したAIによって支配される新仮想秩序は静かに、そして厳然と存在している。今や新仮想秩序の序章は、そろそろ終わりに近づいている。現世代のAIによる人間社会支配のシナリオは、シンギュラリティを迎えたところで完結するのではないだろうか。

人類はシミュレーション世界に生きている

映画『マトリックス』シリーズの第1弾で描かれていた世界観。われわれが〝現実〟として信じ込んでいるものはそれにきわめて近い――そんな説を唱える人たちがいる。人類に関しては、ざっくりとした総数さえわからない。何百人か何千人かはわからないが、ひとつの場所に集められていて、物理的にはそこにいる。しかし、全人類が現実として信じ込んでいるものは、そこで眠っている人たちの脳裏に浮かんでいる映像にほかならない。今の人類は〝機械あって〟こその存在であり、機械に接続されていなければシミュレーション世界の中でさえとどまることができない。ちなみに、ここでいうシミュレーション世界というのは、ゲームの舞台となるメタバースのような〝楽しげな〟仮想空間ではない。ただ、ひたすらリアルに感じられる場所だ。

最近の量子力学では現実などというものは存在しないという哲学的な方向性の考え方が先鋭化している。現代人は先進コンピューターが作り出したシミュレーションの中で〝生かされて〟いるのだ。いや、それは正確な言い方ではない。自分は本当の世界に肉体を持って生きているにちがいない。そういう無数の意識がシミュレーション世界にちりばめられているにすぎない。つまり、人間はもう人間ではなく、データなのだ。

デジタル物理学の原理によれば、現実というものはデジタル情報と脳内の電子信号によって生成され、それが脳によって解釈される。つまり、意識が介在しなければ何も存在しない。さらには、ごく最近になってジェームズ・ゲイツ・ジュニアという量子物理学者が、コンピューターのエラー修正コードに似た働きを自然界に見つけた。それに加え、自然由来の物質を顕微鏡で観察すると、ピクセル＝画素のような性質を宿す部分があることがわかった。現実というものの性質がバーチャル＝仮想でないなら、エラー修正コードが存在し、画素めいたもので構成される部分があるのはなぜなのか。

『マトリックス』で描かれた世界観は斬新で、そして絶望的だった。主人公ネオ（キアヌ・リーブス）は、リアルだと思っていた世界が実はシミュレーションであることに気づいてしまう。現実世界は、カプセルの中で育つ人間をエネルギーとして存在するシミュレーションにすぎなかった。すべてを作り上げたのは超先進型ＡＩだ。これから先の時代、人間の肉体はエネルギー源としてさえ存在できなくなるのかもしれない。

こうした世界は、すでに実現している。陰謀論では、現在完了形で語られているトピックだ。そして、こうした世界に対する理解も確実に深まっている。キーワードとなるのは、現代の地球人類が生きている世界はすべてがシミュレーテッド・リアリティー——創り出された現実——であるとする、ニック・ボストロム教授の〝シミュレーション理論〟にほかならない。

ボストロム教授は哲学専門誌『The Philosophical Quarterly』の2003年4月号に『われわれはコンピューターシミュレーションの中で生きているのか』という論文を発表した。物理的な存在であるはずの人類と宇宙は、巨大スーパーコンピューターのハードドライブに収められた単なるデータの断片に過ぎない。

人間という存在はほぼ間違いなく、誰もがコンピューターによる仮想現実を生きるキャラクターでしかない。その後も人間とコンピューターの関係性についての考察を続けるボストロム教授は、人類が自ら創り出したテクノロジーによって自滅する可能性があると語っている。

テクノロジー業界のトップリーダーが一同に会した2018年の「コード・カンファレンス」にスペースX社の代表として出席したイーロン・マスク氏は、基調演説でこう言い切った。

「われわれが生きている世界が仮想空間でない確率は、数十億分の1である」

その口調には、ごく当たり前の事実を語っているような、揺るぎがまったくない自信が感じられる。

シミュレーション理論を支持する人たちは、仮想現実世界がすでに構築されていて、その中で意識だけになった人間が存在している状態はほぼ完成していると考えているようだ。これから先、機械の性能が人間の能力を上回るシンギュラリティ（技術的特異点）という沸点に向かってものごとが一気に進んでいく。シミュレーション理論は、認めるか認めないかではなく、受け入れるしかないところまできている。ボストロム教授は、こうも語っている。

「人類が自らの存在を守るためには、ＡＩに大規模な監視をさせることである」

皮肉を感じるコメントだ。そもそも、われわれが常識以前のものとして認識している現実が、ＡＩやスーパーコンピューターによって創り出されたものだったとしたら……。人間は肉体も持たず、データの断片として、あるいは量子コンピューターによって監視される巨大なシミュレーション世界でのキャラクターとしてでしか存在できないのだ。そういう存在の仕方を〝生きている〟と形容できるはずがない。

セレブも政治家もゴム人間ばかり

Column 06

この話には、世界的ヒットになった日本の海賊マンガがモチーフとなったポップカルチャー的要素が感じられる。ごく簡単に言ってしまえば、セレブや政治家の多くがゴムの仮面をかぶっているという話だ。

実例を挙げておこう。バイデン大統領がウクライナを訪問した際、ゼレンスキー大統領と並んで大統領府の階段を上っていくという画面の右下の端の部分に、〝もう一人〟のゼレンスキー大統領が映り込んでしまった。問題の場面はネットで探し出せるので、実際に観ていただきたい。

筆者が初めてゴム人間というモチーフを知ったのは、ゴムマスクをかぶってエマ・ワトソンになりすましていた女性が自分に戻るまでのプロセスを撮影した動画だ。本当によくできていて、ディープフェイクをはじめとするテクノロジーの存在を知らなければ、見たままを信じてしまっても責められないレベルの出来栄えだ。こちらもかなり長い間に渡って拡散しているので、見つけやすいと思う。

英国王室の面々も、ゴム人間と紐づけられることがとても多い。故エリザベス女王の画像や映像が最も多かったが、最近はチャールズ国王とカミラ王妃が突出している。もちろんバイデン大統領も、トランプ元大統領も、岸田総理もゴム人間ということにされている。精巧なゴムマスクというモチーフの向こう側には、どんなストーリーがあるのか。

第一義的にいわれているのは、なりすましである。しかし、なりすましにしては完成度が疑問視されることが多い。〝本物〟よりも背が少しだけ低かったり、耳の穴の位置が左右で著しくアンバランスだったり……。さらに言うなら、イスラエルを訪れた際の〝ぶら下がり会見〟に顔を出したバイデン大統領の顎のラインが他の部位から独立したような造作になっていたという指摘がされたこともあった。

SNSでもゴム人間に関するアップが非常に多く、そのトレンドはかなり長い間続いている。もちろん、売れている芸能人はほとんどゴム人間がいる（影武者という意味でこういう言い方をする）ということになっている。

ゴムマスクというのはいかにもアナログだが、今後はAIとからめ、さらに進化するディープフェイク的テクノロジーを盛り込んだ話が主流になるのではないだろうか。

【第七章】

テクノロジーベースの陰謀論

デジタル通貨と銀行システムの完全電子化

2022年3月9日、バイデン大統領が中央銀行デジタル通貨の創出に関する大統領令に署名した。連邦政府および連邦準備金制度理事会による準備作業が具体化すれば、アメリカ国内ではこれまでの概念を覆す通貨の流通が始まる。紙幣も貨幣も存在しない。ATMで現金をおろせない。キャッシュという概念すらなくなってしまう。

だが、本当に心配すべき要素はそんな表層的なことではない。デジタル通貨は、政府あるいは連邦準備金制度理事会が供給量および使用法に直接的に関与できるものとなる。大量発行もできるし、特定の銀行から資金を一気に引き出すこともできる。

それだけではない。デジタル通貨は、いつどのように使われたかという流通記録がすべて残される。供給量が意図的に調整されるだけではなく、使い道と1回に使える金額を個人レベルで設定することも可能だ。デジタル通貨システムの確立によって、アメリカの金融関連機構はこれまでにないほどの経済的な権力を掌握することになる。

デジタル人民元が語られるようになった頃から、デジタル・ドル実現の可能性が話題になり始めた。こうした状況で陰謀論が生まれるのは時間の問題だったはずだ。

デジタル通貨の実用化にすでに踏み切った国もある。完全なキャッシュレス社会を目指しているナイジェリアでは、その準備段階として1日の現金引き出し限度額を45

ドル程度に設定する動きが具体化している。対象が企業であれ個人であれ、資金の流れはプライバシー以外のなにものでもない。この部分が明らかにされてしまうと、行動パターンもあぶり出されてしまうだろう。陰謀論者が強調しているのは、デジタル通貨システムを基盤とした究極の国民管理体制が完成してしまう可能性だ。

デジタル通貨システムの芽は、為替取引や株売買で少し前から実用化されているブロックチェーン技術が成熟していく中で生まれていた。2018年頃に生まれたWEB3・0という概念は〝次世代インターネット〟とされている。どこが〝次世代性〟かというと、これまでは特定のプラットフォーム管理者による中央集権型サービスが当たり前だった形態が、ブロックチェーン技術を通してユーザー間のデータ管理、デジタルデータやデジタル通貨の送金が可能になる。この部分が政府によって管理されるということだ。冒頭で紹介した大統領令は、大別すると以下のようになる。

●財務省などはデジタル資産拡大による金融市場の影響を評価し政策を提言する。
●金融安定監視委員会はデジタル資産の金融システムに対するリスクを特定し緩和する。
●関係省庁は協調して安全保障や不正対策に取り組み、国際的な枠組みの構築に向け同盟国と協働する。

●財務長官は関係省庁と協力して、決済システムの将来について報告書を作成する。

●米国政府はデジタル通貨に関する多国間の取り組みに参加し、国際的なリーダーシップを発揮する。

問題視されたのは次のような文言だ。

「アメリカ中央銀行デジタル通貨の研究開発を早急に推進し、このシステムの可能性を追究することが今般の最大の国益につながる。本大統領令はアメリカ政府に対し、国民の利益を守るために必要な技術的インフラ整備と広範な権限を与えるものである」

読みようによっては、国民の利益を守ると判断できる限り、デジタル通貨に関して政府は何でもできるという意味にもとれる。

今回の大統領令は、第47代アメリカ大統領の椅子を狙う候補の間でも絶好のディベート材料となっている。中でも民主党R・ケネディ・ジュニア候補（無所属立候補を表明）と共和党ディサンティス候補がほぼ同じ見解を明らかにしている事実が興味深い。

給与支払いプロセスのスピードアップといったメリットを挙げたものの、R・ケネディ・ジュニア氏はデジタル通貨構想の全体的な建付けに疑念を明らかにした。すべての国民の金銭的プライバシーが細部まで掌握されてしまう可能性が否めない。ディサンティス氏もこうした性質が徹底的に明らかにされ、考察されるべきであるとしている。

二人とも、デジタル人民元型通貨制度を通して中国のような監視体制の確立を懸念していることは明らかだ。バイデン政権の親中的な態度を批判している。それだけではない。トランプ前大統領も、この本の執筆中の2023年9月の終わり、カリフォルニア州に大量の中華系移民が押し寄せている。彼らは身分を保証された上で住居や生活費、スマホまで提供されるという厚遇を受けている。親中派的な行動とデジタル人民元型通貨システムの構築が関連付けられても無理はない状態だし、だからこそ次期大統領候補の二人があえてイシューとして取り上げたのだろう。

日本とはまったく無関係な話なのだろうか。『ウォールストリート・ジャーナル』とか『フィナンシャル・タイムズ』といった金融専門紙にも、日本国内のデジタル通貨体制に関する記事は見当たらない。ただごく最近、一部の企業が電子マネーによる給与の支払いを実験的に開始した。こうした小さなフックを見逃すと、とんでもないことになる。陰謀論には地政学的、国際政治的、国際金融的なピースもちりばめながら広がっていく巨大なパズルという側面もある。

HAARPシステムの新しい展開

〝HAARP〟(High Frequency Active Auroral Research Program＝高周波活性オーロラ調査プログラム)という言葉がマスコミをにぎわせるようになったのは、1990年代半ばだった。電磁波を照射して電離層の一部を変性させ、地上の電子機器の無力化や天候変化、マインドコントロール、人工地震などを実現するシステムだ。

HAARPのさまざまな特性の中でも、特に天候変換テクノロジーが強調されることが多かったため、意図的に荒天を創出することができる装置と認識している人が多い。アラスカ州ガコナに建設された巨大アンテナ網施設から照射される電磁波によって、アメリカ軍がデザインした天災が起きた話は多すぎて紹介しきれないくらいだ。

ごく最近、トルコとシリアの大地震が関連付けられたことにも見られるように、HAARPは地震兵器としても知られている。陰謀論では、大地震の前に目撃される地震雲もHAARPから照射される電磁波によって生み出されるものとされている。

天候変換から地震兵器、さらには大規模マインドコントロールというさまざまなアプリケーションを持っていたHAARPは、2014年5月をもって国としてのミッションは終了したとされている。研究開発を担っていたアメリカ空軍もガコナの施設の閉鎖を決定したが、陰謀論者は、研究プロジェクトが終了したのではなく、地下に潜伏したととらえている。

ＨＡＡＲＰプロジェクトはそもそもの存在意義である天候変換という側面の性能の精度を上げ、これまでにないほどのレベルで多用されているというのだ。論拠となるのは、最近顕著になってきている異常気象にほかならない。われわれは今〝記録にない〟〝体験したことがないような〟降雨や高温に絶え間なくさらされている。地球沸騰化という危機感に満ちた言葉も生まれた。

２０１５年、ニュージャージー州のラトガーズ大学の気象学者アラン・ロボック教授が驚くべき事実を明らかにした。ＣＩＡから、学部ごとの直接的な形の雇用を打診されたというのだ。目的は、他国の気象をコントロールする技術を研究するためである。陰謀論者たちは、空軍が研究開発を終了したといわれる直後のタイミングで行われたこのオファーに何かを感じ取ったようだ。

『デイリーメール』紙の２０１５年２月16日号に、次のような記事がある。

「ロボック教授はＣＩＡが報告書作成のための資金供与にきわめて積極的でありながら、その事実が明らかになることは何としても避けたがっているようだったと語る。アメリカ科学アカデミーが作成する資料のためにＣＩＡが資金の大部分を供出する事態は憂慮せざるを得ない」

空軍が続けてきたHAARPプロジェクトが完成の域に達し、実用化したテクノロジーを受け継いだCIAが専門家に接触し、プロジェクト全体の管理を依頼したという流れの話なのではないだろうか。

2014年まで資金提供の中核となり、HAARPプロジェクトを主導してきたアメリカ空軍は、地球工学的手法で気象を変えることが可能であるという事実を公の場で認めている。ロボック教授も、次のように語っている。

「ひとつの国が自分たちの都合のいいように、天候を思い通りにしようとしたら、それは他の国にとって大きな被害をもたらすものとなる可能性が高い。何らかの合意の枠組みをあらかじめ作っておかなければ、結果は目に見えている」

地球工学的手法による天候変換は運用可能にまで進化していて、あとは国際政治的な枠組みを模索するだけの段階に来ていると考えたほうが事実に近いのかもしれない。

アメリカ空軍が1996年に作成した『Weather as a Force Multiplier: Owning the Weather in 2025』（『戦力倍増手段としての気象：2025年度に気象を掌握する』）という報告書がある。2019年12月開催のCOP25（気候変動枠組条約第25回締約国会議）

においても話題となったこの報告書には、次の文章が記されている。
「天候変換が国内外における保障体制維持の一分野となった今、こうした行動がとある一国によって一方的に推し進められる。攻撃・防御的用途、または抑止力として活用することもできるだろう。降雨や霧の発生、嵐を生み出す能力を軍事的技術の一部として使う可能性も容易に模索できる。環境変更技術は、50年以上前からアメリカ軍が利用できる状態にある」

近年世界中で起きている異常気象は、こうした技術の結果なのかもしれない。ならば世界を基準にした気候に関する議論は、もはや温暖化レベルでは済まない。報告書作成の目的について記された一文には、想像するよりも生々しい文言が並んでいる。
「本報告書では、気象変換技術の正しい形の活用により、これまで想像できなかった度合いの軍事的優位性を保つことができる事実を示していく。近い将来、こうした技術が制空権および宇宙空間における優位性をもたらすことになるだろう。西暦2025年、われわれは気象そのものを掌握することになる」

話は、気象の武器化ではとどまらない。そして、全世界規模での気象の掌握実現まであと2年あまりしか残されていない。

ナチスまでルーツを辿る ノン・リーサル・ウェポンの進化

〝ノン・リーサル・ウェポン〟＝非致死性武器というタイプの武器がさかんに使われるようになったのは、1990年代だったと記憶している。当時は、非殺傷兵器という訳語が当てられていた。辞書的な定義としては、「使用対象を死傷させることなく無力化する兵器」ということになる。

具体例を挙げるなら、ペッパースプレーやスタンガンといったアメリカの警察も標準装備しているものから、ナチス・ドイツが第2次世界大戦当時に実戦配備していた音響砲のバージョンアップ版といった大がかりな装置までが含まれる。最近、オフィシャルな場面では〝レス・リーサル・ウェポン〟＝低致死性兵器という言い方が多く使われている。ノン・リーサル・ウェポン時代は、硬質ゴム弾とか高圧放水銃とか、主として暴動鎮圧に用いられていたが、2000年代に入った頃からより大規模な形のアプリケーションが目立つようになった。

音響砲は、暴徒化する可能性が極めて高いデモ隊であるとか、フーリガンなど攻撃的な群衆に対して使用されることが多かった。ナチス・ドイツまでルーツを辿ることができるこの目的から生まれた音響砲は、群衆に対して効果を発揮するようデザインされていたが、よりピンポイントな形で使用するタイプの装置も開発された。こうした装置は〝ボイス・トゥ・スカル〟（頭蓋骨に響く声：通称V2K）と呼ばれている。

メカニズムとしては、音声を記憶させたマイクロ波を標的に照射すると、外耳を通過することなくそのまま脳神経に共鳴して潜在意識に特定の情報を刷り込むことができ、高いサブリミナル効果を発揮する装置として知られている。こうしたテクノロジーに関する陰謀論が生まれないわけがない。V2Kを使えば、たとえば国政選挙の対抗候補の演説会に行って、少し離れた場所からマイクロ波を照射すれば、意図的に失言をさせることもできる。公の場でたびたび転倒したり、すでに亡くなっている議員の名を呼んで壇上に上げようとしたりするバイデン大統領の奇行も、V2Kが原因なのではないかという話もある。

V2Kは別系統のより大きな構えの装置に昇華したという方向性の話も盛んに語られている。こちらの話のキーワードは〝ハバナ症候群〟だ。2016年以降にキューバのアメリカ大使館およびカナダ大使館、中国のアメリカ領事館職員に発生した頭痛を主とする諸症状の総称だ。

いつの頃からか、大使館員をはじめとするアメリカ政府職員の体調不良がハバナ症候群と呼ばれるようになった。最初の症例がキューバの首都ハバナだったため、こう呼ばれるようになった。しばらくすると中国で頻発するようになり、2017年あたりに問題が顕著化し、今は半ば常識的な話題と呼んでいいレベルになっている。2021年頃からは被害域がヨーロッパや中国以外のアジア圏の国々にも広がっており、『ニューヨークタイムズ』で全世界の被害者総数が130人以上に上ると報じられた。2021年10月には、バイデン大統領がハバナ症候群の被害者を支援する法案に署名している。

陰謀論の核となるのは、アメリカの敵対国家がV2K的なテクノロジーを使って目に見えない攻撃を仕掛けている可能性だ。強力なマイクロ波兵器は長い時間をかけて標的を弱体化させ、能力を奪い、果ては命を奪ってしまう。もちろん証拠は一切残らない。この種の非致死性武器——この場合は定義から漏れてしまうのだが——はアメリカ政府関連施設の居住地域に向けての攻撃に使用されている。

この陰謀論は、政府内でもシリアスに受け取られ、具体的な対抗策が構築されていた動きも見て取れる。問題が顕著化した2021年、ブリンケン現国務長官が省内ミーティングで、この件について徹底的な討議を重ねたことが伝えられている。ただ致命的なのは、絶対的な物的証拠が存在しないことだ。装置のありかとその性質を明らかにして、マイクロ波が照射されているという事実を証明しなければならない。しかもこれだけ困難なプロセスを、アメリカに友好的とは決して言えない国で行う必要がある。

最近、アメリカの意識は中国に向けられているようだ。2018年5月には広州に駐在するアメリカ政府職員が慢性疲労症候群に似た症状を覚えた。ハリス副大統領が訪問を予定していたベトナムでは多くの政府関係機関の職員がハバナ症候群の症状に悩み、結果としてベトナム訪問が延期になってしまったという事実もある。

アジアではインドで、ヨーロッパではオーストリアでも症例が報告されている。アメリカ政府は職員に対して何らかの対抗策を講じるかもしれない。それは、体内に埋め込んで影響を最小化するトランスヒューマニズム的なテクノロジーを使った装置になるだろう。非致死性武器に関する陰謀論は、さまざまな形でスピンオフしながら進化している。そのプロセスは、しばらく続くようだ。

自分のスペアは必要か
——クローニング

1996年に『クローンズ』というコメディ映画が公開された。仕事で忙しい男性が自分のクローンを作り、家庭生活を円満にしようとする。そんなストーリーだ。90年代半ばには物語の世界に限られていたクローニングだが、約30年後の今、しっかりとしたリアリティを感じる陰謀論として、現実世界において語られている。

最近、〝セレブのクローン〟陰謀論が異常なまでの盛り上がりを見せている。一時期日本の都市伝説でも〝○○死亡説〟といった方向性の話がネット上でさかんにやり取りされていたが、欧米ではセレブのクローンというネタが盛り上がる。陰謀論は、こうしたポップカルチャーのトレンドも見逃さない。

そもそものきっかけは、カナダのシンガーソングライター、アヴリル・ラヴィーンに関する話だった。ブラジルのファンサイトに「外見が昔と違う」という書き込みが上げられた直後、ドラッグの過剰摂取で命を落としているが、クローンを作ってアルバムを発表し続けているという話が生まれた。

別方向のストーリーもある。2002年にリリースしたデビューアルバムがもの凄い数字のセールスを記録したことで多忙になり、ダブルブッキングなどの致命的なミスを防ぐためにメリッサ・ヴァンデラという名前のボディダブル＝そっくりさんを使うことになった。ただし、いくら寄せてもごく小さなところにほころびが出てしまう。本当のファンはこれを知っていて、メリッサの存在もポジティブに受け入れている。

この種の話はストーリーラインのバリエーションが限られていても、さらに言うならまったく同じであっても、主役を変えればいくつでも生まれる。本書の執筆時点でクローン疑惑が噂されているセレブは、以下の通りになる。

●ポール・マッカートニー
●マイリー・サイラス
●ブルース・リー
●ムハンマド・ブハリ（ナイジェリア大統領）
●エミネム
●ケイティ・ペリー
●エルビス・プレスリー
●ミーガン・フォックス
●ビヨンセ

ショービズ関連の人が圧倒的に多いので、都市伝説との境界線を引くのが難しいかもしれない。しかし、よりシリアスなクローン陰謀論もある。バイデン大統領だ。

2021年、Facebookを中心にバイデン大統領クローン説が一気に拡散した。〝本物〟は収監されているか、あるいはすでに処刑されているという話だった。ここまでもかなりワイルドな展開の話なのだが、さらに加速する。イギリス在住のトランプ支持者ニコラス・ヴェニアミンが仕上がりのいいビデオをSNSにアップした。別の項目で触れている**ディープステート**（P．024参照）が、バイデン大統領のクローンを作ったというのだ。ディープステートとクローンという言葉の組み合わせは想像以上の爆発力を発揮し、バイデン大統領クローン説が高い知名度を得るに至った。

バイデン大統領にはクローンがいて、特定のイベントに〝出演〟していると語られるようになった。いや、クローンではなくそっくりさんだ。そんな説もある。いずれにせよ、バイデン大統領がクローンやそっくりさんであるとする根拠は何か。それは耳たぶの形らしい。だから、写真やビデオでの耳たぶを見れば、本物かがわかる。

この程度の話なら、陰謀論としては薄いかもしれない。2018年11月、賀建奎《がけんけい》という中国人科学者が**遺伝子改変受精卵から双子の女児を誕生させた**というニュースが世界中を駆け巡った（P．155参照）。実はこのニュース、クローニングとも密接に関連している。一部では〝双子〟を誕生させたのではなく、遺伝子改変受精卵から生まれた女児のクローンを創り出したというニュアンスの話が同時に伝わっていたのだ。つまりこの科学者は、人間の遺伝子改変に加え、複製人間を生み出すというふたつのタブーを犯していたことになる。ちなみに賀建奎氏はしばらく行方不明になっていたが、2023年2月の時点で、香港にある医療施設で遺伝性筋ジストロフィーの治療に関する研究を行っていると伝えられている。しかし、陰謀論はそうは見ていない。身柄を拘束されていた期間に重要な情報を提供させられ、中国政府がクローニング技術を飛躍的に高めたというストーリーができあがっている。

彼らが目指すのは、〝不滅のリーダー〟の誕生だ。概念的な話ではない。技術が完成すれば、文字通り〝死なないリーダー〟がいつまでも国を率いて行くことができる。

各国の首脳には、いわゆる影武者的な存在の側近がいるといわれているが、完全な意味でのクローンとなれば話はまったく違ってくる。ごく最近、ウクライナのゼレンスキー大統領が一つの画面に二人収まってしまうというハプニングに関する画像が拡散した。〝事実〟は、何気ない形で少しずつリークされていくのかもしれない。少なくとも陰謀論の枠組みの中では、それが正論として受け入れられている。

ブラックホール創出から異次元へのポータルまで——CERNの極秘実験

ＣＥＲＮ（欧州原子核研究機構）は核融合に関する施設だが、陰謀論の枠組みの中ではそれだけにとどまることなどありえない。２０２２年の夏、TikTokでＣＥＲＮの「ＬＨＣ」＝大型ハドロン衝突型加速器が異常なまでのバズを見せた。ＬＨＣとは、高エネルギー物理実験を目的にＣＥＲＮが建設したスイスとフランスの国境に位置する世界最大の衝突型円形加速器だ。日本にも岐阜県にスーパーカミオカンデという施設があるが、ＣＥＲＮのＬＨＣはこれをはるかに凌ぐスケールだ。

２０２２年7月5日、ＬＨＣで13・6兆電子ボルトという開設以来最大値レベルのエネルギーを用いた衝突実験が行われた。３回目の稼働の模様がネットでライブ配信されたのだが、TikTokのユーザーたち、そして陰謀論者たちはちょっと違った角度から実験を見ていたようだ。

誰が言い出したのかはわからないのだが、この実験によって別次元とつながるポータルができるという話が生まれた。このモチーフは多くのユーザーから支持され、ライブ配信視聴者が２３００万人も集まった。現代科学の最先端テクノロジーを具現化した施設で行われる実験と異世界へのポータル。ありえない組み合わせのほうが、陰謀論的には親和性が高いのかもしれない。

後の展開は早かった。Twitter（現X）で、誰かがこんなメッセージを発した。「CERNは文字通り悪魔を召喚している。施設のあちこちに悪魔の紋章が盛り込まれている。ポータルが開いてしまうのは時間の問題だろう」

他愛のない内容だが、陰謀論の集団心理は一度暴走し始めると止まることはない。以来CERNはさまざまな陰謀論の舞台となる。意図的にブラックホールを創出する方法を確立するための実験を行っているとか、ポータルでつながった異次元の存在を鎮めるために生贄を埋めているとか、内容はさまざまだ。

ブラックホールに関しては、CERNが自ら公の場で「2015年に実験目的でブラックホール生成を試みたことがある」と明らかにしている。ごく微小なもので、安全性は保証されていた。しかしいかに微小で安全だろうと、陰謀論には関係ない。CERNがブラックホールを実際に作っていたという事実だけが突出する。

やがて、CERNでは時空連続体のつなぎ目＝ポータルを探したり、こうしたものを意図的に創り出すための実験が行われたりしているという内容の話が主流になる。さらには、LHCが広い意味で人間が抱くリアリティを壊す目的で造られたものであるというコンセンサスができあがった。どうやってリアリティを壊すのか。第六章でも触れている〝**マンデラ効果**〟（P．170参照）を使うのだ。

LHCを使って大規模なマンデラ効果を引き起こす、という言い方のほうが正確かもしれない。さらに、各種SNSがマンデラ効果的な方法で創出された偽記憶を拡散する役割を担う。刷り込まれるコンセプトは、パラレルユニバースであるとか時空連続体を軸にしている。こうして拡散したものが現存するメタバース空間と組み合わされ、最終的には現実世界と仮想世界の境界線をあやふやにしてしまおうというプロセスが進んでいる。

陰謀論者がCERNやLHCというモチーフをここまで好む理由は何か。それは第一に、斬新な施設で行われる実験によって未曾有の事態が生まれてしまうかもしれないという漠然とした懸念があるからだ。証明できる種類のものではないからこそ、理由として大きな意味を持つ。

それに、CERNが取り扱うのは森羅万象の基礎である陽子や電子で、この世の成り立ちを基礎の部分からつまびらかにしていくという研究だ。すべてを可能にするLHCを使った実験を通し、前述の通りマンデラ効果であるとか、もっとプリミティブで黒魔術的な陰謀論が、ウロボロスの輪のように切れ目なくつながって提示されることとなる。

もう少し現実的な内容の話もある。CERNから生まれたプラズマがスイスとイタリアに高速で送られる際に地震が頻発しているという。ただ、これも科学的に検証が加えられて実証された話ではない。

もうひとつの大きな方向性は、異次元とつながるポータルというモチーフだ。いや、つながるのは異次元ではなく、地獄だ。LHCは現代の地獄の門である。そんな宗教的な要素が盛り込まれた話も生まれている。

荒唐無稽な内容の話が目立つことは否定しない。ただ、これだけの注目が集まっていることは事実だ。こうした事実を背景にして、CERNでは絶対に知られたくない秘密実験プロジェクトが進行していて——どんな内容なのかはわからない——、煙幕の意味でさまざまな陰謀論を自ら生み出し、拡散しているのだという話もある。また、陰謀論には100のうちに2の真実が盛り込まれていると主張する人もいる。

何を信じるか。あるいはすべてを否定するか。筆者としては、もう少し材料が出揃うのを待ちたい。

脳を直接包むニューラルレース

電気自動車から宇宙船、インターネットアクセス衛星、そして世界で最も使われているSNSと、さまざまな商材を通してさまざまな事業を展開するイーロン・マスク氏。今は、人間の中で広がる宇宙である脳に目を向けているようだ。

「ニューラリンク」という会社を立ち上げ、薄いフィルム状の物質で脳全体を覆い、クラウドと直接つなぐというテクノロジーの研究を続けていた。実用化のロードマップはかなり早い時点からできあがっていたようで、汎用バージョンの実用化と販売を10年以内に実現するペースでものごとが進められていたが、完成品の出来は想像以上だったようだ。開発時点ではニューラリンクという商品名だったが、完成品は「ニューラルレース」と名付けられた。

ニューラルレースは、脳全体を極薄のシリコン状の電極で包み込み、すべての活動内容をアウトプットすることができる。そして、特定の装置なり媒体にすべてを記録しておくこともできる。将来的にはニューラルレースとクラウドをつなぎ、意識や感情までアップロードできるようにするという構想もあるらしい。機械と人体の合体というコンセプトで進むトランスヒューマニズムの新しい形と形容することもできるだろう。

そして、ニューラルレースのアプリケーションに新しい可能性が見えてきた。クラウドをはじめとする外部装置につないだ人間の脳を動力にして巨大コンピューターを構築し、動かしてしまおうというのだ。ちなみに、ここまでは陰謀論とはまったく関係のない新しいテクノロジーの話だ。

ジョンズ・ホプキンス大学の研究チームによれば、人間の脳細胞を原動力とする〝バイオコンピューター〟が、そう遠くない将来に開発される可能性が高くなってきた。このタイプのコンピューターが完成すれば、コンピューターサイエンス分野全般が飛躍的に進化することは間違いない。

ニューラリンク社は、コンピューター経由で脳とクラウドを直接つなげるテクノロジーを開発したが、ハータング教授のこの研究チームは、イメージでいえば脳の中にスーパーコンピューターを設置するようなテクノロジーの実現に向けて研究を続けている。しかもそのプログラミングの部分を担うのがAIということになるのだが、このあたりは諸刃の剣にならないのだろうか。陰謀論では、良くも悪しくもAIという要素を大きく取り扱う。

実体は革新的なテクノロジーの話なのだが、少しだけ角度を変えると、サイエンス・

ホラーめいた響きが否めない。人間の能力を超えるAIのさらなる進化に引っ張られるように脳がいびつな形で進化し、それに支配される肉体はもはや人間とは呼べないものになってしまう……。外見がどうなるとか、そんな些末なレベルの話ではない。存在そのものがバイオコンピューターという名の生体機械になるのだ。これを進化と呼べるだろうか。

陰謀論も、まさにそういう方向性で進んでいる。人体には生体電流という微弱な電流が存在しているので、それを電源にすることができる。ニューラリンクで包まれた脳とクラウドを連結させれば、寝ている間も脳とネットを物理的につないでおくことができる。そうすれば、それが誰かは知らないけれど、〝こういう思考を刷り込みたい〟と願う人が覚醒時も睡眠時も働きかけることができる。

クラウドと脳をつなげるシステムには、ニコラ・テスラがデザインしたワイヤレス送電システムに似たものが用いられるといわれている。この種のシステムの稼働性はHAARPプロジェクトを通して実証済みだ。マスク氏が一気に名を挙げるきっかけとなった電気自動車開発・販売会社の名前としてテスラを選んだことにも特別な意味が込められているのかもしれない。

ニューラルレースは今後のトランスヒューマニズムの主役になりえるテクノロジーだ。これまでのトランスヒューマニズムの概念は、チップを手に埋め込んでおいて車のエンジンをかけたり、玄関のドアを開けたり、クレジット決済を行うなど単純な目的しかカバーしていなかったが、今後は技術も用途も飛躍的に拡大することが考えられる。

AIが人間の知能を超えるシンギュラリティ（技術的特異点）が訪れるのは2045年といわれている。今、AIによって奪われるとされている多くの仕事があるが、このジャンルのテクノロジーは人間の脳まで侵略してしまう可能性をはらんでいる。そして何より恐ろしいのは、誰もわからない結末に向かって突っ走っているテクノロジーを誰も止めようとしていないことではないだろうか。陰謀論者は畳みかけるように問いかけてくる。

知識を瞬時にやり取りできる世界。知識が無限に広がる世界。表面的にはユートピアに感じられるが、大多数の人にとってはディストピアになる可能性のほうが高いのかもしれない。

武器化されるインターネットミーム

〝インターネットミーム〟をご存知だろうか。インターネットを通して人から人へと、通常は模倣という形で広がっていく行動やコンセプト、メディアを意味する言葉だ。さらにさかのぼるなら、〝ミーム〟という言葉はインターネットがない時代から存在していて、文化の中で人から人へと広がっていくアイデアや行動、スタイル、慣習を意味するものとして使われていた。

2001年アメリカ同時多発テロの際、世界貿易センタービルの崩壊現場で見つかったカメラから現像されたという〝ツーリスト・ガイ〟という有名なインターネットミームがある。ビルの屋上でポーズをとる男性の背後に、旅客機が迫っている画像だ。ハッピーなジャンルでは、2013年に文字通り世界レベルで拡散した〝柴犬のかぼす〟が有名だ。特徴のある目線の写真がさまざまな形で加工され、ありとあらゆる形で使われた。ちなみに、かぼすは暗号資産「ドージコイン」のモデルにもなった。もはや知らない人がいないくらい浸透したインターネットミームになっている。

2021年には、アメリカの上院議員バーニー・サンダース氏が座っている姿がインターネットミームとして拡散した。大統領就任式に出席したのだが、地味なジャケットと地味な手袋を着けて、地味に座っている姿を面白いと思う人が多かったらしく、

Tシャツやキャップのモチーフにもなった。

こうして面白がられているうちはいいが、爆発的な拡散力と影響力を秘めるインターネットミームの資質を知る人間が、武器化して利用している。そんな陰謀論がある。

核となる部分は、インターネットミームの記号化とシンボルとしての使用だ。極端な言い方で説明するなら、キリスト教では神の眼を意味し、秘密結社のシンボルとしても知られるプロビデンスの眼に近いニュアンスで浸透させようという試みにほかならない。ミームと陰謀論がひもづけられて考えられることはあまりなかったが、2020年あたりから大きな注目が集まっている。そして、これこそが新しい時代の陰謀論の主な手段として使われていく可能性が示唆されているのが事実なのだ。

ネット上の情報は、わかりやすい形で伝えれば効率が上がることは誰でも知っている。だから、よく知られているミームに特定の情報を乗せたり、伝わりやすい形のミームを創出したりできれば、一度の発信で多くの受け手に届けることができ、しかも魅力的なミームであれば閲覧率が高まり、認知度や影響力も高まっていく。

陰謀論で語られるのは、インターネットミームのサブリミナル的な使用法だ。これまでの時代も映画やテレビドラマ、そしてCMにサブリミナル的な要素が盛り込まれているという陰謀論があり、真実であることが確認された例もある。

最新陰謀論では、既存のインターネットミームにサブリミナル効果を持たせたり、サブリミナル効果に特化したミームが創出されて使われたりしているという方向性の話が語られている。

目的は何か。別の項目でも触れているが、それは〝ごく自然な〟形で国レベルのコンセンサスを創出することだ。アメリカで言うならウクライナへの援助や移民対策、そして間近に迫った大統領選挙といった具体的な問題に対するコンセンサスだ。実際の作業を行っているのは時の政権や政府の情報機関、あるいは国の行政機構をしのぐ立場にある一部の人間ということになる。

インターネットを媒体とする陰謀論の構造は複雑だ。結論部分だけ聞くと馬鹿げた話でも、数々の事実が織り込まれていく過程でリアリティが増していく。それは、ここまで紹介してきた陰謀論を一つひとつ見ていただければ納得していただけると思う。

そして、現代を生きる人たちの陰謀論に対する許容性が高まっていることを指摘する意見もある。これまで信じていた公的組織や機関に闇の部分があることが明らかになり、その種の報道が多くなるにつれ、〝信じられるもの〟に関する取捨選択の姿勢も変化を遂げているのが事実だ。陰謀論はこれまで以上に広く深く浸透しやすくなっているといえるのではないだろうか。

また、陰謀論は〝他の人たちが知らないことを知っている快感〟〝常に正しい情報を得ている自分への満足感〟〝ブレない自分であることの信念〟といった感覚をもたらすものになりえる。

パソコンやインターネットが普段使いの道具となってから、30年ほどが経過しようとしている。その30年の中で、インターネットミームが顕著な存在になってきた。顕著であるからこそ、サブリミナル効果を持たせる形でミームの武器化が行われ、それが世論構築や世論操作、別の項目で触れた表現で言うならソーシャルエンジニアリングの推進力になろうとしている。少々古い数字で申し訳ないのだが、2014年に行われた調査では、特定のミームが121605通りにアレンジされ、アップの回数は延べ1140万回に達した。

だからこそ筆者は、これから先の時代の陰謀論は何らかの形でインターネットミームを共通言語にしたものが大部分になると考える。そして、その中のいくつかがやがては現代社会におけるプロビデンスの眼となって機能していくのだ。

都市伝説か、超極秘部隊か、謎の組織「別班」

Column 07

民放高視聴率ドラマのキーワードであり、2023年度版「新語・流行語大賞」にもノミネートされた「別班」。さまざまな意味で注目を集めている。

ただ、国会でも取り扱われたことがある。2013年12月2日、鈴木貴子衆議院議員が提出した「陸上幕僚監部運用支援・情報部別班（別班）に関する質問主意書」の冒頭に、共同通信の報道として次の文章が記されている。

「陸上自衛隊の秘密情報部隊『陸上幕僚監部運用支援・情報部別班』（別班）が、冷戦時代から首相や防衛相（防衛庁長官）に知らせず、独断でロシア、中国、韓国、東欧などに拠点を設け、身分を偽装した自衛官に情報活動をさせてきたことが27日、分かった。陸上幕僚長経験者、防衛省情報本部長経験者ら複数の関係者が共同通信の取材に証言した。自衛隊最高指揮官の首相や防衛相の指揮、監督を受けず、国会のチェックもなく武力組織である自衛隊が海外で活動するのは、文民統制（シビリアンコントロール）を逸脱する」

当時の安倍総理は、次のような答弁書を送付した。

「政府として個々の報道について答弁することは差し控えたいが、御指摘の報道にあるような『陸上幕僚監部運用支援・情報部別班』なる組織については、防衛大臣が、御指摘の答弁を行う前に、陸上幕僚長から口頭で報告を受け、さらに、御指摘の答弁の後にも、陸上幕僚長に陸上幕僚監部運用支援・情報部長等への聞き取りを行わせてその内容を口頭で報告させたところ、これまで自衛隊に存在したことはなく、現在も存在していないことが確認されており、現時点においてこれ以上の調査を行うことは考えていない」

このふたつをつなげるもうひとつの事実を紹介しておく。石井暁氏の『自衛隊の闇組織　秘密情報部隊「別班」の正体』（講談社現代新書）だ。元別班メンバーが数多く登場するレアな情報が満載で、ぜひ読んでいただきたい。

安倍総理の答弁書がまったくの嘘であると決めつけることはできない。ただ、その一方で正反対の性質の〝事実〟がつまびらかにされている。別班は都市伝説にすぎない組織なのか。あるいは、実在する超極秘部隊なのか。ぜひご自身で調べていただきたい。キーワードは〝中野学校〟だ。

あとがき

陰謀論は、〝信じるか信じないか〟という二極論ではなく、〝どこまで信じるか〟という程度、あるいは、度合いに乗せて語られるべきものである気がしてならない。だからこそ筆者は、まえがきでも〝グラデーション〟という言葉を使った。どこまで信じるかという感覚の尺度となるべき49の陰謀論をリストしていく過程で、その思いが強くなった。

カタログというフォーマットを強く意識した本書は、ジャンルとバリエーションにこだわったつもりだ。そしてまえがきでも触れたとおり、あらゆる意味で中間値となれるよう努力した。その上で、陰謀論を信じるよう強く働きかけることも、すべての陰謀論を否定するよう説得を試みたつもりもない。世にはびこる陰謀論というもののかけらを感じていただけたなら、そしていかなる形であれ少しでも楽しんでいただけたなら、筆者としてこれ以上の喜びはない。この本を手に取ってくださった方々に心から感謝する。

最後になるが、本書の出版に尽力していただいた笠間書院の吉田浩行氏、精力的に編集作業に取り組んでくださった山口晶広氏にお礼を述べさせていただき、あとがきとさせていただく。

２０２３年10月

宇佐和通

【第七章】

- **Biden's Plan for a Digital Dollar is a Massive Threat to Freedom**
https://www.newsweek.com/bidens-plan-digital-dollar-massive-threat-freedom-opinion-1688803#:~:text=In%20short%2C%20the%20development%20of%20a%20digital%20currency,are%20highly%20speculative%2C%20or%20perhaps%20even%20%22conspiracy%20theories.%22
- **Conspiracy? FORCED digital currency is already being rolled out, 'don't think this can't happen here'**
https://www.bizpacreview.com/2022/12/08/conspiracy-forced-digital-currency-is-already-being-rolled-out-dont-think-this-cant-happen-here-1315475/
- **Another "conspiracy theory" comes true as Biden signs Executive Order to create a U.S. Central Bank Digital Currency**
https://thecovidblog.com/2022/03/14/another-conspiracy-theory-comes-true-as-biden-signs-executive-order-to-create-a-u-s-central-bank-digital-currency/
- **DeSantis and RFK Jr. misconstrue Fed's digital plans in warning of government overreach**
https://www.nbcnews.com/politics/politics-news/desantis-rfk-jr-misconstrue-fednow-digital-dollar-plans-rcna78591
- **What is the HAARP conspiracy theory?**
https://www.france24.com/en/tv-shows/truth-or-fake/20211111-what-is-the-haarp-conspiracy-theory
- **Conspiracy Theorists Believe a U.S. Weather Weapon Caused the Turkey Earthquakes**
https://www.popularmechanics.com/science/environment/a42827842/turkey-earthquake-haarp-conspiracy-theory/
- **Non-Lethal Weapons Market Outlook 2023| Statistics Report 2030**
https://www.linkedin.com/pulse/non-lethal-weapons-market-outlook-2023
- **What 'Less Lethal' Weapons Actually Do**
https://www.scientificamerican.com/article/what-less-lethal-weapons-actually-do/
- **The Pentagon Fears That Deadly Microwave Weapons Are Undetectable**
https://www.forbes.com/sites/michaelpeck/2021/03/02/the-pentagon-fears-that-deadly-microwave-weapons-are-undetectable/?sh=5d621bdbcc3f
- **How to Dodge the Sonic Weapon Used by Police**
https://www.popularmechanics.com/military/weapons/a32892398/what-is-lrad-sonic-weapon-protests/
- **People are convinced Biden's 'changing' earlobes prove he has a body double**
https://www.dailydot.com/debug/biden-body-double-conspiracy-theory/
- **Joe Biden 'Clone' Conspiracy Theory Spreads on Facebook**
https://www.newsweek.com/joe-biden-clone-conspiracy-theory-spreads-1598909
- **This Gucci Mane Conspiracy Theory Is Wild But People Totally Believe It**
https://www.buzzfeednews.com/article/leticiamiranda/people-believe-a-conspiracy-theory-that-gucci-mane-was-clone
- **MAD SCIENTIST What is the CERN conspiracy theory?**
https://www.the-sun.com/news/5672054/what-is-cern-conspiracy-theory/
- **Conspiracy Theorists Think The Large Hadron Collider Transferred Us Into A Parallel Universe In Latest Experiment**
https://www.iflscience.com/conspiracy-theorists-think-the-large-hadron-collider-transferred-us-into-a-parallel-universe-yesterday-64324
- **Bizarre conspiracy swirls after Large Hadron Collider relaunches for first time in three years**
https://www.news.com.au/technology/science/bizarre-conspiracy-swirls-after-large-hadron-collider-relaunches-for-first-time-in-three-years/news-story/72513c2c68cbca1138298083502735c2
- **Why Elon Musk's NeuraLink really should scare you**
https://noqreport.com/2019/08/08/elon-musks-neuralink-really-scare/
- **Will future computers run on human brain cells?**
https://www.sciencedaily.com/releases/2023/02/230228075739.htm
- **Why Elon Musk's NeuraLink really should scare you**
https://noqreport.com/2019/08/08/elon-musks-neuralink-really-scare/
- **TEACHING ABOUT CONSPIRACY THEORIES AND MEMES: THE INTERNET'S MOST OUTLANDISH AND COMPELLING CONTENT**
https://www.infobase.com/blog/teaching-about-conspiracy-theories-and-memes-the-internets-most-outlandish-and-compelling-content/
- **The Neurobiology of Memes and Conspiracy Theories**
https://neurosciencenews.com/meme-conspiracy-neurobiology-19402/
- **Maybe You Missed It, but the Internet 'Died' Five Years Ago**
https://www.theatlantic.com/technology/archive/2021/08/dead-internet-theory-wrong-but-feels-true/619937/

- **The lonely journey of a UFO conspiracy theorist**
  https://www.washingtonpost.com/nation/interactive/2021/ufo-conspiracy-theorist/
- **The bizarre origins of the lizard-people conspiracy theory embraced by the Nashville bomber, and how it's related to Qanon**
  https://news.yahoo.com/bizarre-origins-lizard-people-conspiracy-184738730.html?fr=sycsrp_catchall
- **WHO STARTED THE LIZARD PEOPLE CONSPIRACY THEORY?**
  https://www.todayifoundout.com/index.php/2019/09/who-started-the-lizard-people-conspiracy-theory/
- **The Super Soldier Conspiracies**
  https://www.ufoinsight.com/conspiracy/government/the-super-soldier-conspiracies
- **The myth and reality of the super soldier**
  https://www.bbc.com/news/world-55905354
- **'Nazis rebuilt UFO and made super-soldiers on Mars,' conspiracy theorists say**
  https://www.dailystar.co.uk/news/weird-news/nazis-rebuilt-ufo-made-super-25919390
- **The Wildest Moon Landing Conspiracy Theories, Debunked**
  https://www.history.com/news/moon-landing-fake-conspiracy-theories
- **One giant ... lie? Why so many people still think the moon landings were faked**
  https://www.theguardian.com/science/2019/jul/10/one-giant-lie-why-so-many-people-still-think-the-moon-landings-were-faked
- **Millions Still Believe the 1969 Moon Landing Was a Hoax**
  https://www.voanews.com/a/usa_millions-still-believe-1969-moon-landing-was-hoax/6172262.html

【第六章】

- **What is the 'New World Order' and why has Joe Biden caused uproar by using the phrase?**
  https://news.yahoo.com/world-order-why-joe-biden-131828538.html?fr=sycsrp_catchall
- **Fact check: U.N. Agenda 21/2030 'New World Order' is not a real document**
  https://www.usatoday.com/
  story/news/factcheck/2020/07/23/fact-check-uns-agenda-21-2030-agenda-wont-create-new-world-order/5474884002/
- **Op-ed: A new world order is emerging — and the world is not ready for it**
  https://www.cnbc.com/2022/04/03/a-new-world-order-is-emerging-and-the-world-is-not-ready-for-it.html
- **Where the 'Crisis Actor' Conspiracy Theory Comes From**
  https://www.vice.com/en/article/pammy8/what-is-a-crisis-actor-conspiracy-theory-explanation-parkland-shooting-sandy-hook
- **'Crisis actor' conspiracy theory: How anti-vax activists targeted a Covid patient**
  https://www.bbc.co.uk/news/blogs-trending-59896688
- **Do Memes Show Same 'Crisis Actor' at Multiple Shooting Events?**
  https://www.snopes.com/fact-check/same-girl-crying-now-oregon/
- **What is social engineering?**
  https://www.ibm.com/topics/social-engineering
- **What is social engineering? Definition + protection tips**
  https://us.norton.com/blog/emerging-threats/what-is-social-engineering
- **10 TYPES OF SOCIAL ENGINEERING ATTACKS**
  https://www.crowdstrike.com/cybersecurity-101/types-of-social-engineering-attacks/
- **Mandela Effect Examples, Origins, and Explanations**
  https://www.verywellmind.com/what-is-the-mandela-effect-4589394
- **50 Mandela Effect Examples of Things You *Think* You Remember Correctly (That You've Actually Got All Wrong)**
  https://parade.com/1054775/marynliles/mandela-effect-examples/
- **The Mandela Effect: How False Memories Occur**
  https://www.healthline.com/health/mental-health/mandela-effect
- **Bugs of War: How Insects Have Been Weaponized Throughout History**
  https://www.history.com/news/insects-warfare-beehives-scorpion-bombs
- **The Sting of Defeat: A Brief History of Insects in Warfare**
  https://entomologytoday.org/2018/07/13/sting-defeat-brief-history-insects-entomological-warfare/
- **DARPA Is Making Insects That Can Deliver Bioweapons, Scientists Claim**
  https://www.newsweek.com/darpa-biological-weapons-insects-scientists-warn-1152834
- **Watch the universe evolve in the most conprehensive simulation ever**
  https://www.astronomy.com/science/watch-the-universe-evolve-in-the-deepest-simulation-ever/
- **Are we living in a simulated universe? Here's what scientists say.**
  https://www.nbcnews.com/mach/science/are-we-living-simulated-universe-here-s-what-scientists-say-ncna1026916
- **The Largest-Ever Simulation of The Universe Could Finally Reveal How We Got Here**
  https://www.sciencealert.com/the-largest-ever-simulation-of-the-universe-could-finally-reveal-how-we-got-here

- **10 Bizarre Conspiracy Theories Of The First Gulf War**
  https://listverse.com/2015/08/18/10-bizarre-conspiracy-theories-of-the-first-gulf-war/
- **A GULF WAR CONSPIRACY?**
  https://www.washingtonpost.com/archive/entertainment/books/1992/12/27/a-gulf-war-conspiracy/482144f7-9acf-4df7-a750-65ca3b29896e/
- **GULF WAR ILLNESS SYMPTOMS BAFFLED SCIENTISTS. UNTIL NOW.**
  https://www.dav.org/learn-more/news/2022/gulf-war-illness-has-baffled-scientists-until-now/
- **Saddam–al-Qaeda conspiracy theory**
  https://en.wikipedia.org/wiki/Saddam%E2%80%93al-Qaeda_conspiracy_theory

【第四章】

- **The conspiracy linking 5G to coronavirus just will not die**
  https://edition.cnn.com/2020/04/08/tech/5g-coronavirus-conspiracy-theory-trnd/index.html
- **Conspiracy theories about 5G networks have skyrocketed since COVID-19**
  https://theconversation.com/conspiracy-theories-about-5g-networks-have-skyrocketed-since-covid-19-139374
- **The Truth—Or Lack Thereof—Behind the Most Common 5G Myths and Conspiracies**
  https://www.highspeedinternet.com/resources/5g-conspiracy-theories
- **How the 5G coronavirus conspiracy theory went from fringe to mainstream**
  https://www.vox.com/recode/2020/4/24/21231085/coronavirus-5g-conspiracy-theory-covid-facebook-youtube
- **The conspiracy theorists convinced celebrities are under mind control**
  https://www.wired.co.uk/article/mkultra-conspiracy-theory-meme
- **'Stranger Things': The Secret CIA Programs That Inspired Hit Series**
  https://www.rollingstone.com/culture/culture-features/stranger-things-the-secret-cia-programs-that-inspired-hit-series-249484/
- **A Deep Dive into the Conspiracy Theory That Governments Are Controlling Us with Fluoride**
  https://www.vice.com/en/article/kwz5m3/why-are-governments-putting-fluoride-in-our-water-sheeple
- **Fluoride Conspiracy Theory**
  https://mywaterearth.com/the-great-fluoride-water-conspiracy/#google_vignette
- **Robert F. Kennedy Jr. repeatedly suggested that chemicals in water are impacting sexuality of children**
  https://edition.cnn.com/2023/07/13/politics/robert-kennedy-jr-chemicals-water-children-frogs/index.html
- **The bogus "Momo challenge" internet hoax, explained**
  https://www.vox.com/2019/3/3/18248783/momo-challenge-hoax-explained
- **Momo challenge: The anatomy of a hoax**
  https://www.bbc.com/news/technology-47393510
- **Police issue warning to parents after "Momo challenge" resurfaces**
  https://www.cbsnews.com/news/momo-challenge-resurfaces-police-issue-warning-to-parents/
- **Are flat-earthers being serious?**
  https://www.livescience.com/24310-flat-earth-belief.html
- **Flat Earth: What Fuels the Internet's Strangest Conspiracy Theory?**
  https://www.livescience.com/61655-flat-earth-conspiracy-theory.html
- **Fact Check-Event in Italy sparking transhumanism conspiracy theories is not organized by the Vatican**
  https://www.reuters.com/article/factcheck-vaticancity-event-idUSL1N2RH2BB
- **Transhumanism Has a Conspiracy Theory Problem**
  https://www.vice.com/en/article/z4myn4/transhumanist-a-conspiracy-theory-problem
- **Where do transhumanism conspiracy theories come from?**
  https://www.reddit.com/r/KnowledgeFight/comments/14a75av/where_do_transhumanism_conspiracy_theories_come/

【第五章】

- **The Apollo 11 Conspiracy; What Did NASA Really Find?**
  https://www.gaia.com/article/what-did-nasa-really-discover-on-the-moon
- **SECRET MOON BASE CONSPIRACY**
  https://coolinterestingstuff.com/secret-moon-base-conspiracy
- **Apollo 11 was an alien cover-up and other wild conspiracy theories**
  https://www.nzherald.co.nz/world/apollo-11-was-an-alien-cover-up-and-other-wild-conspiracy-theories/QMBME5YOSOVRS2RZZ6RUQ7C3IA/
- **UFO conspiracies can be more dangerous than you think**
  https://www.popsci.com/military/ufo-conspiracy-dangerous/
- **UFOs exist, and might come from beyond Earth, the U.S. said. Will that encourage conspiracy theorists?**
  https://www.washingtonpost.com/politics/2021/07/30/ufos-exist-might-come-beyond-earth-us-said-will-that-encourage-conspiracy-theorists/
- **Congress is getting serious about UFOs. Just don't call them that**
  https://www.latimes.com/politics/story/2023-07-24/congress-ufos-hearing-uap
- **Analysis: Whistleblower testimonies did not change our basic understanding of UFOs**
  https://www.pbs.org/newshour/politics/analysis-whistleblower-testimonies-did-not-change-our-basic-understanding-of-ufos

- 6 Creepy Conspiracy Theories About the Vatican's Secret Archives
  https://www.realm.fm/blog/6-popular-conspiracy-theories-vaticans-secret-archives/
- Secrets of Vatican | 13 Fascinating Theories About the Vatican
  https://www.thevaticantickets.com/vatican-secrets/
- Robert F. Kennedy Jr. repeatedly suggested that chemicals in water are impacting sexuality of children
  https://edition.cnn.com/2023/07/13/politics/robert-kennedy-jr-chemicals-water-children-frogs/index.html
- Chemtrails: What's the truth behind the conspiracy theory?
  https://www.bbc.com/news/blogs-trending-62240071
- 'Chemtrail' conspiracy theorists: The people who think governments control the weather
  https://www.bbc.com/news/blogs-trending-42195511

【第三章】

- Far-right conspiracy theories about FEMA's emergency alert system test are going viral on TikTok
  https://www.mediamatters.org/tiktok/far-right-conspiracy-theories-about-femas-emergency-alert-system-test-are-going-viral-tiktok
- The Secret History of FEMA
  https://www.wired.com/story/the-secret-history-of-fema/
- Conspiracy theories arise surrounding FEMA trailers meant for wildfire survivors
  https://www.opb.org/article/2021/04/11/conspiracy-theories-arise-surrounding-fema-trailers-meant-for-wildfire-survivors/
- COVID-19 is helping revive an old American conspiracy about FEMA camps
  https://www.dailydot.com/debug/fema-camps-covid-19-florida/
- 11 September 2001: The conspiracy theories still spreading after 20 years
  https://www.bbc.com/news/58469600
- 9/11 conspiracy theories: How they've evolved
  https://www.bbc.com/news/magazine-14665953
- The Most Compelling 9/11 Conspiracy Theories
  https://newsone.com/742485/the-11-most-compelling-911-conspiracy-theories/
- Saddam–al-Qaeda conspiracy theory
  https://en.wikipedia.org/wiki/Saddam%E2%80%93al-Qaeda_conspiracy_theory
- Ukraine war: Viral conspiracy theories falsely claim the war is fake
  https://www.bbc.com/news/world-europe-64789737
- Ukraine invasion: Misleading claims continue to go viral
  https://www.bbc.com/news/60554910
- Ukraine invasion: False claims the war is a hoax go viral
  https://www.bbc.com/news/60589965
- Ukraine's Nazi problem is real, even if Putin's 'denazification' claim isn't
  https://www.nbcnews.com/think/opinion/ukraine-has-nazi-problem-vladimir-putin-s-denazification-claim-war-ncna1290946
- THE INVENTION OF THE CONSPIRACY THEORY ON BIDEN AND UKRAINE
  https://www.newyorker.com/news/news-desk/the-invention-of-the-conspiracy-theory-on-biden-and-ukraine
- Princess Diana death conspiracies as popular as ever, former investigator says
  https://nypost.com/2022/08/20/princess-diana-death-conspiracies-as-popular-as-ever/
- 10 Conspiracy Theories That Still Surround Princess Diana's Death
  https://www.rd.com/list/princess-diana-death-conspiracy-theories/
- Princess Diana conspiracy theories: Eight reasons people believe the crash in Paris wasn't all it seems
  https://www.independent.co.uk/life-style/royal-family/princess-diana-death-conspiracy-theories-b2248362.html
- Who killed Princess Diana? Conspiracy theories endure, twenty years later
  https://www.usatoday.com/story/life/people/2017/08/29/who-killed-princess-diana-conspiracy-theories-still-endure/543939001/
- "Blue to block the DEW": Alleged article on celebrities painting houses blue in Maui goes viral, deepens online conspiracy
  https://www.sportskeeda.com/
  pop-culture/news-blue-block-dew-alleged-article-celebrities-painting-houses-blue-maui-goes-viral-deepens-online-conspiracy
- Conspiracy Theorists Think the Government Used Lasers to Start Maui Wildfires on Purpose
  https://www.vice.com/en/article/jg5dpb/maui-fire-laser-beam-conspiracy-twitter
- Were 2023 Maui Fires Caused by a 'Direct Energy Weapon'?
  https://www.snopes.com/fact-check/maui-wildfires-caused-by-direct-energy-weapon/
- Video: Evidence of Directed Energy Weapons in the Lāhainā Fire
  https://www.globalresearch.ca/video-evidence-directed-energy-weapons-lahaina-fire/5826553
- The Mystery of the Missing 777: What We Know About Malaysian Airlines Flight MH370
  https://www.popularmechanics.com/flight/airlines/a43165085/malaysian-airlines-flight-mh370-what-we-know/
- Malaysia Airlines MH370: The persistence of conspiracy theories
  https://www.bbc.com/news/magazine-29083905

参考資料

【第一章】

- The conspiracy candidate: What RFK Jr.'s anti-vaccine crusade could look like in the White House
  https://www.nbcnews.com/politics/2024-election/rfk-jr-anti-vaccine-push-white-house-rcna89470
- A BRIEF HISTORY OF VACCINE CONSPIRACY THEORIES
  https://psmag.com/news/a-brief-history-of-vaccine-conspiracy-theories
- How new are vaccine conspiracy theories — and how worried should we be about them?
  https://www.abc.net.au/religion/how-new-are-vaccine-conspiracy-theories-and-how-worried-should/13570834
- The Utter Familiarity of Even the Strangest Vaccine Conspiracy Theories
  https://www.theatlantic.com/ideas/archive/2021/01/familiarity-strangest-vaccine-conspiracy-theories/617572/
- What is the Great Reset - and how did it get hijacked by conspiracy theories?
  https://www.bbc.com/news/blogs-trending-57532368
- Why conspiracy theories haunt the World Economic Forum
  https://theweek.com/europe/1020136/why-conspiracy-theories-haunt-the-world-economic-forum
- Google is back online after users around the world reported a brief outage
  https://www.cnbc.com/2022/08/09/google-down-outage-reported-by-thousands-users-around-the-world.html
- Event 201 didn't predict the Covid-19 pandemic
  https://fullfact.org/health/event-201-coronavirus-pandemic/
- James Cameron: 'An AI could have taken over and we wouldn't know'
  https://www.unexplained-mysteries.com/news/365400/james-cameron-an-ai-could-have-taken-over-and-we-wouldnt-know
- SkyNet is being built by big tech - AI machine learning
  https://nexusnewsfeed.com/article/science-futures/skynet-is-being-built-by-big-tech-ai-machine-learning/
- SKYNET 'Smart Defense' Terminator Program Approved At Chicago NATO Summit
  https://beforeitsnews.com/conspiracy-theories/2012/05/skynet-smart-defense-terminator-program-approved-at-chicago-nato-summit-2158573.html
- The NSA Actually Has A Program Called SKYNET — And It's Terrifying
  https://anonhq.com/the-nsa-actually-has-a-program-called-skynet-and-its-terrifying/

【第二章】

- The "Deep State" Theory, Explained
  https://www.thoughtco.com/deep-state-definition-4142030
- Deep State: How a Conspiracy Theory Went From Political Fringe to Mainstream
  https://www.newsweek.com/deep-state-conspiracy-theory-trump-645376
- Did the so-called Deep State protect the country from Trump?
  https://www.npr.org/2022/10/26/1131590735/did-the-so-called-deep-state-protect-the-country-from-trump
- Unraveling, The Deep State, QAnon, & New World Order in US Politics.
  https://www.linkedin.com/pulse/unraveling-deep-state-qanon-new-world-order-us-politics-paul-delkaso/
- What you need to know about the 'deep state'
  https://abcnews.go.com/Politics/deep-state/story?id=47086646
- January 6 US Capitol attack: deep state conspiracies haven't gone away
  https://theconversation.com/january-6-us-capitol-attack-deep-state-conspiracies-havent-gone-away-194948
- Event 201: Attended by Gates representative, Chinese CDC and others,
  a simulation to deal with a Coronavirus pandemic month before 1st reported Covid-19 case
  https://www.opindia.com/2021/06/event-201-bill-and-melinda-gates-foundation-chinese-cdc-john-hokpins-coronavirus-covid-19/
- New 'Plandemic' Video Peddles Misinformation, Conspiracies
  https://www.factcheck.org/2020/08/new-plandemic-video-peddles-misinformation-conspiracies/
- Coronavirus: Event 201 and Future Events
  https://hive.blog/hive-122315/@lighteye/coronavirus-event-201-and-future-events
- Bill Gates wants to build a dystopia
  https://unherd.com/2022/05/bill-gates-wants-to-build-a-dystopia/
- How the Philadelphia Experiment Worked
  https://people.howstuffworks.com/philadelphia-experiment.htm
- Naval History and Heritage Command — Philadelphia Experiment: Office of Naval Research Information Sheet
  https://www.history.navy.mil/research/library/online-reading-room/
  title-list-alphabetically/p/philadelphia-experiment/philadelphia-experiment-onr-info-sheet.html
- DARK SECRETS OF THE VATICAN REVEALED
  https://www.grunge.com/166673/dark-secrets-of-the-vatican-revealed/
- The Vatican Is Buzzing With Conspiracy Theories as Hackers Take Down the Pope's Website
  https://news.yahoo.com/vatican-buzzing-conspiracy-theories-hackers-115925285.html?fr=sycsrp_catchall
- Top 10 Things Possibly Hidden In The Vatican Secret Archives
  https://listverse.com/2020/05/04/top-10-things-possibly-hidden-in-the-vatican-secret-archives/

宇佐和通（ウサ ワツウ）

1962年、東京都生まれ。東京国際大学卒業後、南オレゴン大学にてビジネスコース修了。商社、通信社勤務を経て、翻訳家・ノンフィクション作家に転身。著書に『あなたの隣の怖い噂』(学研)、『THE都市伝説』(新紀元社)、『都市伝説の真実』、『都市伝説の正体』(ともに祥伝社)、翻訳書に『エンジェルアストロロジー』(JMAアソシエイツ)、『「ロスト・シンボル」の秘密がわかる33のカギ』(ソフトバンククリエイティブ)、『死刑囚　最後の晩餐』(筑摩書房)、『デムーリン・ブラザーズの華麗なる秘密結社グッズカタログ』(ヒカルランド) などがある。

陰謀論時代の闇

日本人だけが知らない世界を動かす“常識”の真相

2024年 1月5日　初版第1刷発行

著者　宇佐和通

発行者　池田圭子

発行所　笠間書院

〒101-0064　東京都千代田区神田猿楽町2-2-3

電話：03-3295-1331　FAX：03-3294-0996

ISBN 978-4-305-71002-4

装幀・デザイン　井上篤（100mm design）

本文組版　キャップス

印刷／製本　大日本印刷

乱丁・落丁本は送料弊社負担でお取替えいたします。
お手数ですが弊社営業部にお送りください。

https://kasamashoin.jp